新潮文庫

土星を見るひと

椎名 誠著

新潮社版

4871

目次

夢枕獏

土星を見るひと

うねり

波にゆさぶられたのは桟橋から沖へ出るまでのほんの五十メートルぐらいの間だった。浜に立っている時は殆ど波などない湖のような水面だと思っていたのだが、ボートを出して暫くするといきなり激しくゆさぶられ、男はなんだか笑いたくなってしまった。別に面白いとか愉快だからというわけではなく、あまりにも唐突に思いがけない状況に出会ってしまったので、自分の感情をうまく表現できなかったのだ。

「けっこうスリルね」

と、闇の中で女が言った。

「まるで難破船から逃げていくみたい……」

オールが寄せ波の頭を叩くとかなりの飛沫があがり、それは容赦なく、男の青いズボンや革靴を濡らした。

最初のうちは気になったが、そんなことに気をとられていると、ボートが波にあおられ横倒しになりそうだった。

舳を寄せ波に向けて五十メートルほど必死に漕いでいったところで漸く波がおさまった。ゆるいうねりの中で、男と女を乗せたボートはいくらか呆然と浮かんでいた。

いましがた自分たちが切り抜けてきたいくつもの波が海岸のあたりで激しく打ち砕けてい

る音が聞こえていた。

浜から海にむかって風が吹いているのだ、ということを男はそこではじめて理解した。

浜にいるとき、海はこれほどうるさく咆哮していなかった。

闇の中で聞く海の音は思いがけないほどおそろしいものだった。やはり夜の海に出てくるべきではなかったかもしれない、と男は落着かない気持で考えていた。

浮き桟橋に立ったとき、海面がすぐ足もとまで大きくせりあがってきて、舫ってある白いボートがその上で踊っていた。わずかな星あかりの下で、男と女の目にはその白いボートがやさしく笑っているように思えた。

二本の舫い綱を引き寄せれば、たいした苦労もなく、ボートの上に乗り移ることができた。

ほんのしばらく、桟橋のあたりを漕いで回る、というようなつもりで、二人は綱を解いた。

海は満ちはじめたばかりのようで、盛り上った海面が桟橋の下をぴちゃぴちゃと動物的な音をたてて打ちたたき、あたりはむせるような潮のかおりがひろがっていた。

ぐるりと大きく港の中を回ってみるつもりで、波止堤防を越えたとたんに、ボートは寄せてくる波にゆさぶられたのだ。

けれどいま、男のボートはゆるいうねりの中で安定していた。

そして夏の夜は湿気を含んでじわりと重く更けようとしていた。

このあたりの夜明けは何時だろう、と男は星のまたたいている空を見上げながら思った。

「やっぱり来てよかったわ」

女はすこしかすれたような声で言った。

女の声を聞きながら、この程度のうねりなら、こうして岸からあまり離れずに夜の明けるのを待っていれば大丈夫だろう、と男は思った。

「いままでわたしね」

女は言った。

「自分のやろうとしていることのどれもが気に入らなかったのよ」

ふいに女のライターが光った。

一瞬だったが闇の中では思いがけないほど巨大にみえる炎に、黒くうごめく海の背が見えた。

女の吐いた煙草(たばこ)の煙が男の鼻先をかすめ、よく見えない海のむこうに流れていった。

「だからこんなふうに、こんなばかなことを強引にやってくれる人をきっとわたし、待っていたんだろうと思うわ」

うねりはすこし右回りに動いているようだった。オールをあげていると、わずかにところどころに見える浜のあかりが、ゆっくり動いていた。

浜のあかりはオレンジ色と白っぽいものの二種類あった。すこし前に国道でタクシーを降りたとき、道の端に立っていた街燈(がいとう)の灯(ひ)がオレンジ色であったのかどうか、男はすこしの間思い出そうとした。

「それにしても、あのタクシーの運転手、わたしたちのことをどう思ったんでしょうね」

闇の中で時おり光る女の煙草の火口の方が、浜のオレンジ色の光よりもはるかに明るくて強かった。

「いいんですか、こんなところで降ろしちゃって、ホントにいいんですか？って何度も聞いていたから、きっとわたしたちこのあたりで心中でもするんじゃないかと思ってたのかしら。でも心中なんていまどき流行らないか……」

女のおぼろなシルエットがこきざみに動いていた。右回りのうねりに乗って、艫の方がまたぐるりと浜の方に向いてしまったのだ。浜からの弱いあかりが、それでもぼんやりした女のシルエットをつくれるのがすこし嬉しかった。

けれどシルエットになってしまうと、女のよく光る眼をまったく見ることができないのが残念でもあった。

「でもわたしたち、タクシーの中でけっこう陽気なことを喋っていたから、まさか心中するようには思わなかったでしょうね」

くくっと、シルエットがまたすこしこきざみに動いた。女はそう言って一人で笑ったようであった。

タクシーの中で二人とも二時間ぐらいはたっぷり睡っていたのだろうな、と男は思った。

高速道路に入り、最初のサービスエリアですこし粉っぽいコーヒーを飲んだあと、二人は同時に黙りこんでしまった。そうしてそのあと、それぞれの側の窓やドアに体をあずけてすっかり睡ってしまったのだ。

そのサービスエリアでは黄色く染めたトサカのようなパンク頭をふり回しながら、三人の若い男が改造バイクを横倒しにしてスパナを使っていた。

奇妙な恰好をした男たちが真剣にバイクを修理している姿はなんだかおかしかった。

タクシーの運転手はどういう訳か肩を不自然にいからせた初老の男で、すこし尻上りの喋り方をした。

「ああして見るとただの普通のあんちゃんだけどもよ、いったん走らせるとたちまちバカになりよるでぇ」

運転手は額と首筋のあたりを大きなタオルでわしわしと拭い、なんだかいまいましげに空を見上げた。

「静岡の海まで行ってほしい」

と、男が言ったとき、運転手はすこし迷惑そうな顔をした。

「お二人でですかあ?」

と、運転手は尻上りの口調で言った。

「どうせなら海を見に連れていってよ」

と、女は都心のホテルの冷房のききすぎるバーの隅で言ったのだ。

「こんなホテルの地下で、高いお金出してふるえているよりも、あたしは夜の海に行ってみたいのよ」

と、女は言った。

バーの隅でたて続けに飲んだジントニックが、女の喋り方をさっきよりもいくぶんだらしなくさせていた。

「ここからだったら埋立て地の海だね。今の時間、羽田の沖のあたりに入っていけるのだろうか」

男も強すぎる冷房が嫌になっていた。

「そうじゃないのよ。もっと遠くの海へ連れていってほしいのよ」

女はいつの間にか、白い絹のストールで自分の腕や胸のへんを覆っていた。部屋の隅から吹いてくる冷たすぎる風は、女にも苦痛になりかけていたのだ。

天井のどこかを薄い空気が這い回っているようなかんじで低くバイオリンの曲が聞こえていた。

白い細い糸で編んだストールを巻いた女の姿はますますインドの女に似ていた。

「おれはね、あんたみたいなきっぱりした頭のかたちした人が好きなんだ」

男は自分の体の内側が相当に酔ってきているのを感じていた。

「最初店に入ったときにそう思った。だからずっと見てたんだ」

「知っていたわ……」

と、女は言った。

「だからここから出て、あたしを海に連れていってよ」

女が立上ると、そのあたりにうっすらと松脂の匂いがした。


時計の蛍光針は四時十分を指していた。ゆるいうねりの中で男はゆっくりオールを漕いだ。

「雲が動いているわ」

女が言った。

星だけの夜かと思っていたが、そうではなくて、さっきまで空の半分ほどが雲に覆われていたらしい、ということがわかった。

振りむいた先に、薄く流れていく雲と、そのむこうにぼんやりと月の輪郭が見えた。

雲は上と下で二重に動いているようだった。すこし息をつめるようにして見ていると、かすかな輪郭をみせた月の方がゆっくり雲の中を動いているようにみえた。

雲を通して、まだほんのかすかだが、海に新しい光がひろがってきているようだった。

「もしかすると満月かもしれないわ」

女がはじけるようにして言った。

月が出てくる、ということは優しく嬉しいことであった。

「そうなるとこまるんだな」

と、男は言った。

片一方のオールがバランスを崩して海の水をはじき、女の方にすこしとんだ。

「あ、すまない」

「いいのよ。海の上なんだから……」

すこしかすれたようになっていた声がまたもとに戻りかかっていた。夜の海の風に吹かれて、女の酔いがもう相当に醒(さ)めてきているのだろうと思った。

「それよりもどうして月が出てくると困るのか、おしえて?」

「ああ、それはね、おれの顔にだんだん毛が生えてきて、やがて口から牙(きば)が飛び出してくるからだよ」

「それはすてきね」

女が言った。それから何本目かの煙草にまた火をつけた。

「あなた、奥さんいるんでしょ」

女の吐きだす白い煙がふいによく見えるようになった。女の顔と表情がぐんぐんはっきりしてきて、そのまわりの海面がいきなり銀色に光りだした。

「ああ、やっと月が全部出てきたね……」

右のオールだけを素早く回し、男は振りかえって月を見上げた。ボートがゆっくり円を描き、その回りで砕ける小さな波がひとつひとつ白くはじけた。

「あなた奥さんいるのに、こんなところで素姓も何もわからない女とボートに乗っているのよ」

月の光の中で、女の眼がまた挑戦的に光った。

そうだ、妻には結局電話をしなかったのだ――と男は思った。あの店にまた戻ってきて、家に電話をしたのだが、それはどこかでダイヤルの数字を間違えたらしく「この電話は現在使われていません」という機械のコールが戻ってきた。

その声を聞いているうちに電話をかけ直す気力がなくなっていた。

電話に出た妻に帰る時間を告げる。ただそれだけのことだった。

「遅くなるから寝ていてもいいよ」

と、そのあとに男は言うのだ。それだけのためにおれの家の夜の電話があるのだ、と男は思った。

あまりよく知らない女と、東京からとんでもなく離れたこんな夜の海の上でボートに乗っている、ということを妻が知ったら、彼女は何と言うのだろうか、と思った。

それでもやはり妻は何も言わないのかもしれない、と男は思った。

「女房はやっぱり月夜の晩に噛み殺してしまったよ」

月がまた少し薄い雲の中に入ったようで、頭の上の闇が濃さを増した。新しいうねりが二人の乗るボートをとらえ、きしきしとオールとその受け軸のあたりが乾いた音をたてた。

「その割には毛も牙も出てくるのが遅いのね、ぐずぐずしてたからまた月がかげってしまったわ」

女の口もとから小さなオレンジ色の光が飛び、海面でぴゅっと短い音をたてた。

「すこし休んで煙草を喫っていいかい」

「あらごめんなさい。私だけ喫っていたわ。ボートが動いていなくても、こうして波に漂っているだけで、わたしは充分満足だわ」

夜の露か潮のせいか、胸の中に入れておいた紙マッチがなかなかつかなかった。女が手をのばし、細長い高級そうなライターをよこした。ライターを受けとっても、女は手をのばしたままだった。男は改めて手を差しだし、女の左手を軽く握った。

「まだキスもしてなかったわね」

すっかり闇に戻ってしまった夜の海の上で、女はまたすこしかすれ気味の声で言った。

店のカウンターで、女と外で会う約束をした時、男は適当に銀座の女にからかわれたのかもしれない、と思った。

もしそうだったら、あの店に今度また行く時、ちょっとした勇気がいるだろうな、と思った。女も、こっちと顔を合わせるとき、すこし勇気がいるだろう。上司の角田がそのことを知ったらどんなふうにして笑うだろうか、女にからかわれるよりも、新しい上司にそのことを知られるほうが嫌だな、と男は思った。

店のエレベーターを降り、しばらくそのあたりを歩きながら時間をつぶした。顔見知りの男が一人、年増のホステスをひねり抱くようにして上機嫌で歩いていくのを見た。仕事で一、二度顔を合わせたことのある製薬会社の男だった。

三十分ほどたって八丁目まで戻ると、女は約束したとおり「天国」の前に立っていた。

「天国じゃないよ。テンクニだからね、天ぷら屋の……」

男はその店から出る寸前、カウンターごしに無理やり冗談めかして言ったのだ。

「知ってるわ。前に一度たべにいったことあるし……」

と、女は表情を変えずに言った。体の割に顔が細く小さく見えるのは額のまん中からきりりと絞ったひっつめ髪のせいなのだろうな、と男はトップライトに直撃されて激しい陰影をつけている女の横顔を見ながら思った。

「なんだかインドの女の人みたいだね」

男はそのとき陽気に言った。

「あなたそれを言うの、三回目よ。酔ってしまったんじゃないの?」

と、女は言った。

約束したとおり、女が「天国」の前のすこし暗がりになったところに立っていたので、男は、ほんのすこし前、交叉点を渡ってくる時まで抱いていた緊張とも不安ともつかないものが「ストン」と音をたてて体のどこかとてつもなく巨大な空洞の中に落ちていくのを感じていた。

ウイスキーの酔いが体の周囲に気分よく舞っていた。

「ああ、ちゃんといたんですね」

と、男はさらに陽気な声で言った。

女は店にいた時と同じノースリーブの白いワンピースを着ていた。

「外の方が気持がいいだろうと思っていたけれど、まだずいぶん暑いのね」

「今日は熱帯夜になるそうだよ。さっきおたくの店に行くとき、タクシーのラジオがそう言ってた」

銀座八丁目の「天国」の前は深夜の客を乗せていくタクシー待ちの指定所になっていて、もうその前は沢山の酔客やホステスふうの女たちがきちんと列をつくっていた。

「さてと、どこへ行きますかね？」

行列を眺めながら、わざと男は旅行の添乗員のようなすこし癖のある口ぶりで言った。

「お寿司屋さんじゃなかったの？」

「あ、そうか。そう言ったんだっけ。さっきは君を連れ出すのに必死だったから、つい思いついてそのまま言ってしまったんだ。前にね、会社の先輩に聞いたことがあってね……」

「会社の先輩が何て言ったの？」

「いや、それはいいんだ……」

女はそこでふいに笑った。男の正直なあわてぶりがおかしかったようだ。

「お寿司屋さんじゃなくていいわ。お腹はすいてはいないから……」

「そうですか……」

男は片手にぶらさげている背広のポケットから煙草を取り出し、口の端の方にくわえた。

「私にも一本ちょうだい」

女が暗がりの中から言った。


男がその店で女を見たのは三度目だった。三回とも課長になったばかりの角田に連れてきてもらったのだ。角田は総務から営業に移ってきた栄転組で、春からずっと張り切ったままであった。ひととおりの接待の仕上げにその店にきたのは、総務課の頃に一番よく使っていた店ということもあり、接待仕事と合わせて、上司としての貫禄をそのあたりでもひけらかしたかったのだろう、と男は察していた。

最初にその店にやってきた時、カウンターの中にいる女にまず目を奪われた。

女は胸の大きくひらいた花柄(はながら)の明るいドレスを着ていた。盛りあがった胸の上に黒い石が三つついた首飾りをつけていた。ひっつめ髪の下で挑戦的な眼(め)がときおり光った。

インド人みたいな女だ、と男は思った。

二度目に来た時もその女はカウンターの中だった。ポジションが決まっていて、ボックス席で接待するホステスとは別のようであった。

接待客にハイヤーを呼び、上機嫌でシートにすわり込む客に、必要以上にぺこぺこと頭を下げ、すみやかに送りだす、といういささか鬱屈(うっくつ)した仕事が済むまで酒にあまり酔うことはできなかった。

角田はその仕事が済むと男を連れてまた店に戻り、閉店までの残り時間に大急ぎの「飲み直し」というのをやる。

太りすぎて顎(あご)の肉が首まで垂れかかっていたが、そのあたりまで酒であかく光らせながら角田もなかなか酔いつぶれる、ということはなかった。

その席で角田は、なじみのホステスを前にして、いま送りだした客の酒の飲み方について論評する、というのが好きだった。悪口ではなかったが、それは聞いていてあまりいい気持のものではなかった。

三度目にやってきた時、角田は今日は割と早く自宅に帰らなければならないので、と言って接待客と同じ時間に帰っていった。

「いつものように飲み直ししてってよ」

と、角田はタクシーのクーポン券を男のワイシャツのポケットにねじこんだ。

「それでまあ、あとはよろしくやっていいからさ」

タクシーにのさりと座り、角田は顎の下のたるんだ肉のあたりをぴかぴか動かしながら言った。

男は店に戻るとカウンターに座り、念願の女とはじめて話をした。店は混んでおり、エレクトーンの演奏に合わせて、民謡のような「峠の我が家」を誰かが張り切ってうたっていた。

「スコッチでいいですか」

と、カウンターの中の女は近くで見てもよく光る眼で言った。

「安いバーボンがいいな」

男もすこし睨みかえすようにして言った。

十一時を過ぎたところで客のあらかたが引けてしまった。

それも男が何杯目かのバーボンを飲み干し、トイレに立って、ついでにつながらない電話を一本かけて戻ってきたほんの僅かの時間だったので、なんだか唐突にまわり中からはぐらかされたような気分になった。

さっきまでエレクトーンの伴奏にのってえらく調子のはずれたニューミュージックのようなものをしきりに歌っていた集団が一斉に引きあげてしまったようであった。

中年の男が集団でうたうニューミュージックふうの歌はただもうがさつなだけで、そこで語られている歌詞の内容とあまりにもへだたりがあるので、男はカウンターの中の女と、そのことで顔を見合わせ、ひそかに笑ってしまった。

歌う男たちは、終始大声をあげていたし、ボックスの中にいる何人かのホステスたちの嬌(きょう)声(せい)もまじって、男がトイレに立つまでそのあたりはすさまじい騒ぎになっていたのだ。

集団でひけていった客と一緒にホステスも何人か見送りに出ていったらしく、再び元のカウンターの席に座ったときはまるで別の店に戻ってきてしまったような気分だった。

まわりに客もバーテンもいないので、男はカウンターの中の女に「どこかへ行きませんか?」と言った。たて続けに飲んだウイスキーの酔いが男の口を軽くしていた。

「どこかって?」

女は自分の頰(ほお)のはじを指で軽くこすり、視線をそらさずに聞いた。

「たとえばお寿司屋さんとか……」

女はひらりと笑い「そうね……」と言った。

それから店の中をゆっくり見回した。誰かの視線を捜しているようなしぐさだった。

「もう三十分ぐらいかかるわよ」

「いいです」

男は、少年がとびはねるようなかんじで素早く言った。

「でも正直な話、わたしなんかをあなたどんなふうに見ているのか知りたいわね」

深い闇（やみ）の中で女は言った。

振りかえると、月はまた二重の雲の中に入っていた。

「ねえ、言ってみてよ」

女の声には強い響きがあった。

「といっても、今日会ったばかりだし……」

「これまで三度会っているわ。さっきそう言った」

「ああ」

闇の中にいるのが今度は有難かった。夜更（よふ）けに必死で誘ったことでもうそんなことは充分わかっているじゃないか、と思った。ボートの上で互いに見つめあいながらそんな話ができるほど厚顔ではないし、若くもない。

「わたしね、本当はもう子供が一人いるのよ。でもね、なかなか会えない子供だけれどね」

いやな話がはじまった、と思った。男は月が雲の中にずっと隠れていてくれることを願いながら、黙って力をこめてオールを漕（こ）ぎ続けた。

夜が明けるのを海の上で眺めよう、と考えていたのだがそろそろ戻った方がいいのかもしれない、と男は思った。

「それにね……」

再びやってきた大きいうねりの中で女は言った。

「わたしにはもっとおそろしい秘密があるのよ」

遠くで鳥が鳴いているようだった。鳥は夜飛ばないというが、海の鳥は違うのかもしれない。あるいは、もうじきやってくる夜明けを知って、どこかこの近くに浮いて流れている流木などの上で、海の鳥が鳴いているのかもしれない、と思った。

「わたしの怖しい秘密おしえてあげましょうか？」

女は意図的に声を落しているようだった。

男は返事を考えながら、オールを漕ぎ続けた。うまい返事が浮かばず、結果的に気むずかしく黙っている、ということになった。

またボートの艫が浜の方向に回り、女の顔がぼんやりしたシルエットになっていた。女は両手で頰のあたりを押さえ、頭をあげて何か声を出さずに叫んでいるような恰好をしていた。

「それはね」

と、女はひくい声で言った。

「わたし、本当は、口裂け女なの！」

男の眼の前に大きく口の裂けた女がいた。

月が一瞬のうちに顔を出していた。

女は両手の指で、自分の口をめいっぱいに引っぱっていた。雲の動きを見つめながら、月の出てくるタイミングに合わせて、自分の口を引っぱってみせたのだ。

　女は笑い、男も笑った。

「どうです。怖かったでしょう」

「ああ、一瞬、海にとびこんでしまおうかと思ったよ」

　はっきりと海の鳥が鳴いているのが聞こえた。蛍光針は四時四十分を指していた。

「狼男と口裂け女ね」

　と、女は言った。

　そうだ、おれはいま、じつに気分のいい女と向い合わせに座っているのだ——と男はその時ふいに思った。

　月の光は海を途方もなく広く見せていた。海面はいたるところで黒く盛りあがり、銀色のうねりが巨大な怪物の背中のように妥協のない力強さで舳のむこうを走っていた。闇のあいだはよくわからなかったのだが、沖のうねりは考えていたよりもずっと大きくなっているようだった。

　まだ体の底の方に残っている酔いがボートの揺れの感覚を相当に鈍く伝えているのかもしれなかった。

片方のオールを回し、堤防の方を眺めた時、男は急速に胃の内側が熱く縮むのを感じた。すぐ近くに見えていると思った波止の堤防がまるで見えなくなっていた。さっき月が出ていた時にしっかり見きわめておけばよかった、と思ったが、もう遅かった。闇の中で波止の堤防だとばかり思っていたところには、月の光を反射するうねりの背があるだけだった。ボートはあきらかに潮流にながされていた。大きなうねりの背に乗った時に、わずかに浜の方角が見えた。それはうんざりするほど遠い距離だった。

夜の海の灯(ひ)は信じがたいほど近くに見える、ということを以前友人のダイバーから聞いたことがあった。

「夜の海に潜って浮上した時、まわりに光が何も見えない時の心細さといったらほかの何ものともくらべることができないくらいだよ」

と、その男は口をとがらせ、力をこめて喋(しゃべ)っていた。

月の光が出ているのは有難いことだが、それによって巨大なうねりがそっくり見えてしまうというのもつらいことだった。かといって月が隠れてしまうのは、流されているということがわかった今では、もっと心細い。

男はボートの舳を浜の方向にむけ、意志と筋力のすべてを注いでオールを漕ぎはじめた。すでに手のひらや膝(ひざ)のあたりが相当に痛くなっていたが、とりあえずいま自分のやることはボートを進めることしかないのだ、と男は自分に言い聞かせた。

あまり優雅な状態でもなくなっているらしい、ということを女も素早く知ったようだった。

潮流は強く、その意志と力は男のそれを数千倍も上回っているようだった。

いつの間にか夜が明けていたが、岸にはすこしも接近していなかった。

男は三十分以上もすべての力をオールに注ぎ、手のひらから血をしたたらせながら、うねりと流れにたちむかった。

女は蒼(あお)ざめ、全身に波の飛沫(しぶき)をかぶりながら艫のあたりの床にうずくまっていた。それでも女は泣いたりわめいたりはしなかった。自分がいまできることはできるだけ体を小さくして、黙っていることなのだ、と決め込んだように、女はじっと動かずにいた。

それから午前六時まで、男は断続的にオールを動かしたが、実質的には殆(ほとん)ど海の水を掻(か)いてはいなかった。

男は血だらけの手を時おり不思議なものでも眺めるように中空にかざし、それからぐったりとボートの底にへたりこんだ。

女はうずくまったまま睡(ねむ)りこんでいるようだった。ボートは大きなうねりの中でゆっくりと右や左に回りながら、流れ続けた。

太陽がかなりの高さまで昇り、そのぬくもりが男に新しい息をつかせた。無意識のままに眺めた時計は九時をすこし回っていた。

うずくまって朦朧とした睡りの中に落ち込む前に、睡ってしまっても転覆さえしなかったら漁船に見つけられるチャンスがかなりあるだろう、と男は考えていた。けれど、男と女のボートはまだそのままの恰好で海の上にいた。頭と腕と、足と口の中と手のひらと、いたるところが痛かった。船べりに膝をあて、よろよろと上半身を起こした。

絶望的なうねりが目の前にひろがっていた。朝の光は巨大な海を陽気に踊らせていた。海の鳥が遠くの空を引き裂くように鋭い速さで飛んでいた。

ゆっくりと反対側を振りかえり、そこで男はひくくうなり声をあげた。

岸が視界の中に再びあらわれていた。夜中に出てきたのでよくはわからなかったが、波止の堤防は見あたらず、ボートを出したところとはすこし違うようだったが、それでもそこはまさしく陸地だった。

疲労しきってはいたが、強い潮流さえなかったら、漕ぎ進める距離だろう、と見当がついた。

「上げ潮」

ということばが男の体の中を歓喜のようにかけ回っていた。

女がいない、ということに男はそのあとふいに気がついた。目の前にうずくまっていた女の姿がすっかり消えていた。男はボートのまわりを見回し、すこしずつその視線を周囲の海にひろげていった。

それから全身が小さく激しくふるえだしているのがわかった。

男は中腰になって視座を高くし、さらにボートのまわりの海を見回した。

女の名前を呼ぼうと思ったが、男はまだ女の名前を聞いていなかったことに気づいた。

口の中が乾ききって唾をのみこむのがおそろしく痛かった。

女の名前を呼びたくても名前がわからない、ということはとても悲しいことだ、と男はぼんやりした頭の中で考えた。

血のこびりついた手でなんとかオールを握り、ボートを岸にむけて動かした。潮流はたしかに夜明けの頃とは逆の方向に、強く激しくたからかに流れていた。

すこし砂利のまじっている浜にボートを着けたあと、男は小さな寄せ波がボートをせわしなく左右に踊らせる中で、しばらくぐったりとしていた。

それから、長い時間をかけて浜に降り、さらにまた長い時間をかけてボートを浜の上に引きずりあげた。

ひととおりの作業を終えてから、改めて浜の全体を見渡したが、人の姿は何も見えなかった。

浜のずっと先に防風林があって、その一角に漁師小屋のようなものが見えた。長い時間をかけ、よろける足でそこまで歩き、太いゴムホースから流れている水を見つけた。

水は男の神経と筋肉に確実に新しい力を与えた。男は顔を歪め、両腕をかきむしりながら再び浜に戻った。よろける足のまま波打ち際を歩き続けた。

犬が男を眺め、困ったような顔をして歩いてくる方向を変えた。

漁師に頼んで漁船を出してもらうこと、警察に知らせること、銀座のあの店に連絡してこの出来事を知らせること……。

一刻も早くそれらをやらなければならないのだろう、と思った。けれど男は波打ち際を歩き続けた。ボートがここに流れてきたように、女もこのあたりに泳ぎ着いているかもしれない、と男はずっと考え続けていた。

釣り仕度の男が、防風林から現れ、せかせかと浜にむかっていた。

そのむこうに遠く、何人かの男たちが波打ち際に集っているのが見えた。

男は走ろうとしたが、足が砂にもつれてそうすることができなかった。胃の中に固い石がころがりおち、そいつがしだいに大きく堅くふくれあがってくるのを感じながら、男は辛抱強く目ざすものにむかって歩き続けた。

浜に流れ着いている女の死体を、漁師たちが眺めているのだとしたら、自分はそのまま警察に行くしかないだろう、と思った。

そうして男はこれで間接的に二人の人間を殺してしまったのだ、と思った。

公園の道に倒れているバイクのかたわらで黄色いヘルメットを両手で抱えた青年が、男の閉ざされた視覚の中に強引に割り込んできた。二歳になったばかりの娘が、青年のもうひとつむこう側にひしゃげたぬいぐるみのようにころがっていた。

「あなたがもう少ししっかり見ていてくれたらこんなことにならなかったのです。あなたがもうすこしこの子に真剣だったらこんなことにならなかったのです」

ひっつめ髪の鬢（びん）のあたりを冷たい風に乱しながら、二十七歳になったばかりの妻が、そのむこうで泣き叫んでいた。

そうしておれはまたもうひとり別の人間を殺してしまったのだ、と、男は胃の中の石がいよいよ大きく、いよいよあつく熱をもちはじめているのを感じながら、そのことに思いをざらざらとからませた。

前のめりになって、短い息をつきながら、男は浜辺の人だかりに向って歩き続けた。

漁師のいでたちをした数人が、男を困惑した眼で見つめていた。かたまった人々の足もとのあたりに横たわっている大きな濡（ぬ）れたかたまりが見えた。

波と風の音が男の感覚から遠のきつつあった。漁師たちの人垣（ひとがき）が崩れ、男にその衝立（ついたて）をひらいた。

灰色のものがねじくれた海草にまじって横たわっていた。

流線形の頭と尾のあたりに太陽が鈍く反射していた。

「雌のイルカだあ。まだ生きておるで」

鼠のような顔をした漁師の一人が、長靴の先でイルカの胴体を軽く蹴り、不思議な程カン高い声で言った。

小さな集落で食料品屋を見つけ、牛乳と固いパンをたべた。歩き回っているうちにズボンも靴もすっかり乾いていて、朝の浜辺の時のように見る人を驚かす異形ではなくなっているようだった。

食料品屋でそれとなく聞いてみたが、女の水死体が上った、というような事件はおきていないようだった。

男はまた浜に戻り、正午の陽にぎらぎら輝いている海を眺めた。強い風の中で波とうねりが、海の全部を巨大すぎてやるせない生き物のようにみせていた。

この浜に流されてこなくても、どこか別の浜で上っている可能性があることを男はつらい気持で考えていた。

それから、男はそのことで警察に調べられるとき、どんなふうに説明していったらいいのだろうか、ということをしばらく考え続けた。名前も知らない女と夜の海をボートで出ていった、というようなことを果して警察はすんなり信じるだろうか、と思った。

警官が二人、浜を歩いてくるのが見えた。

遠くから男を見つけ、はっきりとした目的を持って向ってくるような足どりだった。

男は薄いため息をつき、再び急速に胃の中をあつくして、じっと二人の警官を待った。

「あんた、むこうのあの逢瀬浜のところにボート乗りあげてきた人かね？」

頬骨の張った赤ら顔の警官がせわしなく視線を振り回す喋り方でそう言った。

男は頷いた。

「じゃあちょっと一緒に来てもらわないといけないね」

もう一人の警官は眼の回りに泣きボクロを沢山つけていた。

パトカーは五キロほど走って、なんとなく見憶えのある白い砂の浜に入っていった。浜の中央に長い浮き桟橋があり、そこには大小さまざまな小船が舫ってあった。

ボート小屋の蔭に、白いワンピースを両腕でかかえこむようにして、女が座っていた。

「おたくの連れ、無事でしたよ。逢瀬浜の方まで流されていたわけだけれど」

泣きボクロの方が女にむかっていやにざらついた声で言った。

「ボートの持ち主を今調べてっから、まあ一緒に調書取らしてもらうことになると思うけどね」

赤ら顔が額の汗を神経質そうに拭いながら早口で言った。

「生きていたんだ……」

女の肩をきっちりと両手で押さえ、男はすこしふるえのくる声で言った。

「泳いできたんだね。そうか、一人で泳いできたのかあ」

海岸の強い陽ざしの中で、女は身をすくめ、黙ってすこし後ずさった。

「何言ってるのよ。あたしはずっとここにいたんじゃないの」

堅い表情をして女は言った。

「まったく。心配したのよ一晩中。勝手にあんなボートで出ていっちゃうんだから……」

男は沈黙し、女の言っていることを理解しようとした。

「一晩中波の音聞きながら、あたしここでずっと待っていたのよ。どうしようもなくてさ。じっと待っていたのよ」

女は闘う鶏のような表情をして男を睨み続けた。

「どうしようもなくてさ。まったく何のためにあたしをここに連れてきたのよ」

白すぎる陽光の中で、女の眼のはじに沢山の皺がうごいているのが見えた。アイシャドウで無理やり大きく見せようとしている眼が、その陽光の中で薄黄色に濁っていた。

「お巡りさんにも言ってたのよ。あたしは反対したんだって、とにかく反対していたんですからね、って」

女は荒々しい動作でハイヒールを脱ぎ、小さな靴底にたまった砂を乱暴に払った。それから怒った動作のまま片方ずつ足に戻した。

男は目をしばたたき、沈黙したまま海を眺めた。

ズボンのポケットの中で揺れている細長くて重いライターをひっぱり出し、陽ざしの中でひっそりと眺めた。

それから強すぎる陽光を浴びながら、男はほんの数時間前、月の光の中で女と軽く手を握りあったあたりの海を捜した。

あの黒い明け方に見た銀色のうねりは、もうまるで見えなかった。昼の海のうねりは白く扁平(へんぺい)に、それでも精いっぱいゆったりと夏のおわりの陽光をはねかえしているようだった。

壁の蛇

貼り紙が二枚あった。

藁半紙に墨文字で書かれていたが、両方ともかなり古いものらしく、全体に黄色く汚れていた。

「火気注意・バケツに注水のこと」

と書かれてある方は、下の隅がすこし焼けて穴があいていた。焼けているといっても、十円玉ぐらいのぼやけた赤茶色の穴で、鼻を近づけてみるとかすかに焦げた臭いがした。

先生や職員にもいろいろとひねくれて質の悪いのがいるだろうから、この貼り紙を見て「なにをこのやろう」というような荒んだ気分になって、わざわざ火のついた煙草を押しつけたのがいるのだろう、と恭平はすこし笑いながらそいつを眺めた。

もう一枚はあきらかに四隅に糊のつけすぎで、その部分だけがあざといほどに薄汚なく盛りあがっていた。

「見回りは十一時と三時。終了後戸締り確認。厳守・部屋内での飲酒は慎しみましょう」

いかにも学校事務職のベテランが書いたらしく、その文字は四角四面に輪郭を張りつめてご大層だった。

コンクリート造りの七・五帖の宿直室は、部屋の面積に対してあまりにも天井が高すぎるので、ちょっと見たかんじでは四帖半ぐらいの部屋に思えた。

「畳を敷く床のところをよう、あんでもっと高く作らねえのだったかねえ。コンクリートの床にじかに畳組んじまってるものだもの、これじゃあ牢屋みてえでえらくかんじ悪いものなあ……」

はじめてこの宿直室へ案内されたとき、用務員の松川さんがおそろしいくらいにでっかい声で、そんなことを言うのを恭平は殆ど固唾を呑む思いで聞いていた。あとで、この松川老人はいつも耳鳴りがしていて、それで大きな声になってしまう、ということを知ったのだが、その時はコンクリートの内壁にがんがん反射する巨大な声に、とにかく驚いていた。

「だいたい畳をじかにコンクリートにのっけるとよう、湿気がでていけないのだわ。ほら、コンクリートが汗をかくわけだからね」

松川老人はそんなことを大声で叫び、恭平にバラの花が鏤められたデザインの新しい魔法瓶を渡し、まだいまいましげに部屋の四隅を見回した。

この県立の工業高校には二人の用務員がいて、もう一人は松川老人とは対照的に低くてやわらかい声を出した。

教師や生徒たちからもっぱらコーさんと呼ばれているので、恭平もこの人と話をする時は同じようにコーさん、と呼ぶことにしているのだが、どんな文字を書くのかはっきりとは知らなかった。痩せて山羊のように白い顎鬚をぽしゃぽしゃと生やしていた。同じ用務員でも松川老人が主として外の仕事を受け持ち、コーさんは猫背(ねこぜ)をすこし左右に揺らしてゆっくり影のように用務員室を動き回っていることが多いようだった。

宿直者に朝の御飯を用意するのもコーさんの仕事で、その献立は季節の移り変りとは一切かかわりなく、納豆と海苔(のり)とおしんことトロロコンブの汁――ということに決まっていた。

ある日、恭平と同じように電子工学科の実験助手をやっている根本と帰りが一緒になり、この宿直明けの朝食の話になった。恭平と根本の意見は「それでもあのトロロコンブ汁だけはどういう訳かやたらにうまいよな」ということで一致した。

根本は恭平より二歳上だったが、恭平と同じように大学の夜間部に通っており、週末に宿直を引き受けることが多かった。

その高校は教師と男の事務職員が交代で宿直を担当するようになっていたが、世帯を持っている先生は根本や恭平などの若い独身の助手たちに宿直を代ってもらうことが多かった。事務室の田口ツネ子にその由(よし)を伝えると、その分の宿直手当は給料日のときに自動的に代替人に支払われるようになっていた。

家にいても宿直室にいてもたいして生活内容に変りのない恭平たちは、この宿直代行による収入がけっこうばかにならない額になったので、頼まれると大抵よろこんで引き受けていた。

宿直代行の魅力はもうひとつ、コーさんのつくってくれるあたたかい朝御飯にもあった。

そのことは宿直代行を頼まれることの多い根本や恭平たち若い助手たちが共通して感じていることだった。

恭平は布団の上に寝ころがり、頭のうしろに腕を組んで、黄ばんで薄汚ない二枚の貼り紙を眺めていた。こうやって今日自分はもう何回こいつを眺めたことだろうか、というようなことをぼんやり考えていた。

貼り紙の斜め上のところに丸い掛け時計があって、それは八時三十分を示していた。季節に死に遅れた蚊が一匹、部屋のどこかを飛んでいるようだったが、恭平の眺めている視野にそれは一向に入ってこなかった。

眺めているうちに「びくり」と神経質な唐突さで長針が一分の幅だけ動いた。

恭平の頭の中で気持の何かがフワリとはじけ、喉がまたすこし乾いたような気がした。喉が乾いている筈はなかった。夕方近くなるにつれて、恭平はひっきりなしに茶や水を口にしていたからだ。

田口ツネ子は「十時すぎなら行ける」と書いた紙の小片を恭平の手許に置いていった。

その紙片が恭平の手許にそっと置かれたとき、今井教諭がいまの時計の長針のように「びくり」と鋭く視線を動かしたのを、恭平は見たような気がした。田口ツネ子の置いた紙片を理解したのかどうか、そこのところまではわからなかったが、どちらにしてもあれはただならぬ眼の動き方だ、と思った。

田口ツネ子が恭平のいる土木建築科の教務室に入ってきたとき、部屋には恭平のほかに三人の教師がおり、机に向ってそれぞれ自分の仕事をしていた。

ツネ子は「ごめんなさい、どうも」と、よく通る乾いた声で言ったあと、開けたままになっているドアを軽くノックした。

「室戸先生に印鑑をお借りしにきました」

と、ツネ子は言った。

「それはどうぞおはいんなさい。わざわざ申しわけないですねえ。呼んでくれればぼくの方から行きましたのに……」

室戸は椅子ごと振り返り、温厚な喋り方でそんなことを言った。

室戸の書類に印鑑を押したあと、他の教師たちと軽口をききながら田口ツネ子は素早く恭平の机の上にその紙片を置いたのだ。紙片はあらかじめツネ子の手の中に入っていたようで、丸く不恰好にひしゃげていた。ツネ子が出ていくと、部屋の中に甘ったるい化粧品の匂いが残った。その匂いを払うように今井教諭が不機嫌に咳ばらいし、教務室はすぐにまた静まりかえった。

恭平がその年の春、土木建築科に配属されたとき、室戸先生はぷくんと脹らんだ自分の腹の上に両手をのせ、必要以上に何度も頷きながら、恭平の履歴書を見つめ、「そうですか。夜、学校に行かれているのですか。苦学というのは大切なものです。高桑光一郎先生も苦学されて今日の地位を築かれたのですよ。ですから大変ですが本当にこれは有意義なものです。そうですかそうですか」と、僧侶のような声で言った。

その時はまだ室戸の言う高桑光一郎という人が一体誰なのか恭平はわからなかったのだが、あとでその高校の教頭の名である、ということを知った。

いずれにしても室戸先生のいささか大袈裟な感心ぶりが恭平にはよくわからなかった。仕事が終ってからの勉強といっても、二年目からは大学には週の前半しか行っていなかった。期待していたほどの鋭い授業もなく、そこにおける情熱も入学当初から較べるとおそろしいくらいに萎えてしまっていたので、できるならば学校をやめて何かもっと別の世界へ踏み込んでみたいものだ、とそんなことをしきりに考えていたものだから、室戸教諭の大袈裟な感心ぶりが恭平にはいくらか心苦しかった。

週の後半が空いているので宿直を代行することが多くなった。直接頼んでくる教師もいたし、宿直当番の割りふり表をつくっている事務局の田口ツネ子を介して頼んでくる教師もいた。

宿直で面倒なのは、午後十一時と午前三時の定期巡回だった。工業高校なので高価な実験用電子機器など沢山備えているから、巡回はよその学校よりもわりあいきちんと義務づけられていた。

けれど巡回したことを誰かがチェックする、という訳でもないので、億劫だったり睡り込んでいたりして巡回しないでいても誰かに咎められる、ということはなかった。

宿直日誌に時間を記入し「異常なし」ということを書いておけば、それで一晩中寝ていることもできたのだ。

けれど恭平はごまかさず、必ず巡回するようにしていた。つらいのは三時の巡回の時で、よく寝過ごしてしまう場合もあったが、日誌にも遅れた時は遅れた時間を書いて、いつもありのままを報告していた。

ほかの宿直人のこともあるので、あまり公けのかたちでは出なかったが、夏休みを迎える頃にはなんとなく、恭平の宿直ぶりが一番正直で正確だ、というような風評が流れるようになっていた。

校舎の巡回は懐中電灯を持ってざっとひと回りしてくればいいだけなので、とくに難しいことはなかったが、深夜に暗い校舎を回ってくる、というのはあまり気持のいいものではなかった。

校舎はコンクリート造りの新築部分と、木造の旧建築部分が半々で、特に防犯の注意がいる実験室は新築校舎に集中していたから、こちらの方の巡回は楽だった。

問題は一、二年生の教室がある木造校舎で、ここを回る時は大抵いつも最初に頭の中がカッとあつくなった。心理的恐怖に対する肉体反応が、恭平の場合は頭の中をあつくさせるようになっているのだろう、と思ったがよくはわからなかった。

木造校舎の方には鍵はかかっていないので、誰か忍びこもうと思えば簡単にできたから、新校舎とは違って、ここでふいの侵入者に出会う、ということもありうるのだ。恭平はこの校舎に入るとき、何時も最初の数秒間にそのことを考えるので、結果的に頭の中がカッとあつくなってしまうのだろう、と思っていた。

廊下を進んでいくと、懐中電灯の光が左右の硝子に複雑に反射して、それが恭平の動きにつれてさまざまな方向に動いた。ガラスの角度によって光の反射は右や左に同時に動くので、最初のうちは自分とは別のナニモノかが光を動かしているように思えて、恭平の頭の中はさらにまたカッとあつくなったりした。

何度か巡回を経験すると、この光の反射には物理的に一定の動く法則というのがあって、それに慣れてしまうと、別になんの恐怖も感じなくなった。

こわいのは光よりもむしろ音だった。旧い木造の大きな建物なので、歩いていくと時おり自分の足音があたりの壁や天井に反射して信じられないほどの音をたてた。それが暗闇の中では恭平の聴覚におどろにせまった。

風の吹いている日が一番厭だった。とくに西風が強く吹く日に木造校舎を歩くと、隙間を吹き抜けてくる風が、あたりでいろいろな音をたてた。

風は面積の広い校舎の壁にあたると「ごんごん」という音をたてた。頭上で絶えず「カシャカシャ」と金属のこすれるような音をたてるのは、冬の間煙突を出す壁の丸い穴だった。このトタン覆いが、風でゆさぶられて金属女のすすり泣きのような音をたてるのだった。

しかし風の強い日は、木造校舎を歩くとき、床の軋む音が気にならないので、かえっていいかもしれない、と恭平は一度電子工学科の根本に言ったことがある。

根本は長い髪をオールバックにしていたので、その四角な顔の全体が時おり食パンの断面に見えることがあった。

ヴァイタリスをたっぷりつけたそのオールバックの髪を、片手でぞろりとうしろに撫でつけながら、根本は「そうかねえ……」と不満気な顔で言った。

「あんた知ってるかどうかわからないけど、あのへんむかし日本陸軍の馬小舎があって、それが火事になったんですよね」

「その話なら知っています」

恭平はかるく根本の話をさえぎった。

「馬の鳴き声が聞こえるっていうやつでしょう」

「本当に聞こえるんですよ。ぼくは二度もそれを聞いたことがあるし……」

もしかすると根本というのは歳には似合わず大変なこわがり屋ではないのだろうか、とその時恭平は思った。

火事で馬が何頭も焼け死に、そのために風の強い日に馬のいななきが聞こえてくることがある、ということを笑いながら話したのは山羊鬚(やぎひげ)のコーさんだった。用務員室でいつものようにトロロコンブ汁をつくりながら、コーさんはやわらかい話しかたで「まあきっと風のいたずらっていうやつでしょうけれどね……」と前置きしてからその話をしたのだ。

「女のすすり泣きとか叫び声とかいうのじゃなくて、馬の鳴き声というのだから、もし聞こえたとしても、そんなにこわくはないでしょうがね」

と、コーさんは言った。

それから恭平の顔を見て「くっくっくっ」と、女のように口を押さえて笑った。

風の強い日に馬の鳴き声を二度も聞いたことがある、と真顔で言う根本に対して、それはきっと風のせいじゃないでしょうか、とは言えなかった。しかし馬の鳴き声ぐらいなんだというのだ、とそのとき恭平は真面目(まじめ)にそう思った。

壁の時計はあと十分で九時になろうとしていた。本当に十時になると田口ツネ子はくるのだろうか、と恭平は落着かない気持でまたその事を考えた。あと一時間とすこしで田口ツネ子が自分の前にいる――ということを考えると恭平は全身がカッとあつくなるような気がした。

同時に、午後十時という微妙な時間がひどく気になった。その時間はけっして安全圏とはいえないような気がした。駅までのバスはまだ動いているから、別の科の教務室で誰か教師が残っているかもしれなかったし、何か大切なものを忘れて大急ぎで誰かが戻ってきて、ついでに宿直室に顔を出していく、ということも充分考えられた。「もしや……」のことを想像するときりがなかった。

もし、自分が田口ツネ子とこの宿直室にいることを誰かに見られたら、もう終りだろうな、ということを恭平は頭のどこか一方の隅で深刻に考えていた。

蚊の飛んでくる音がまだ頭のうしろの方で聞こえていた。天井の高い七・五帖の、どちらかというと、縦長の部屋の中央に、長い電線の尾を引いて、六〇ワットの電灯が吊り下っていた。アルミニウム製の笠によって、部屋の上半分はぼんやりした影になっていた。そのあたりを飛んでいるのだとしたら、その蚊は当分つかまえることはできないだろう、と思った。

もう夏は終りの季節になっているけれど、もし、田口ツネ子がやってきたなら、蚊帳を吊ることにしよう、と恭平は考えていた。

蚊帳は押入れの上の袋戸棚の中に入っている筈だし、蚊帳の四隅をとめる吊り紐はまだ壁の釘に止められたままだった。

コンクリートの部屋の四隅のコーナーにだらんと垂れ下っている蚊帳吊りの紐をぐるりと

見回した。

吊り紐の上にもう一本の紐が見えた。はるかに高いところだった。

どうしてあんなところに余分の吊り紐を下げておくのだろう、と思ったとたんに、そいつが「びくり」と僅かに動いた。

息をつめ、眼を凝らした。その紐はよく見ると一番下の端が壁の角からはずれ、自然の重力に意図をもって逆らうように、ほんのすこしひゅんとはね上っていた。

紐がまたわずかに動いた。同時にそれが何であるか、ということがわかった。

「蛇だ」

恭平は組んでいた腕から頭をもたげ、壁の上の動く紐を見つめた。

学校の周辺には笹藪や雑木林が広がっていたから、そのあたりから蛇が這い出てくるのは不思議ではなかった。けれど、こんな無機質に冷たく乾いたコンクリートの部屋に蛇が入ってくる、というのは随分意外なことだった。

松川老人が言っていたようにコンクリートの床にじかに畳を敷いているので、その湿気を求めて入ってきたのだろうか、と思ったがよくわからなかった。

とにかく黙ってそのまま部屋の中に蛇を這わせておく訳にはいかなかった。立上り、しかしどうしたらいいものか、ということを考えながら、素早く部屋の中を見回した。

蛇の這っているところは天井にあと数十センチといったあたりなので、はたき落すにしても、何か長い竿のようなものが必要だった。

　部屋の中にそれだけのものは見あたらなかった。建材の圧縮試験室にコンクリートプール清掃用のモップがあるのを思いだし、机の上の鍵を取った。部屋を出る前にもう一度蛇を見た。蛇はさきほどと同じ姿のままじっとしていた。そのむこうで壁時計の長針がまた一分の幅だけ「びくり」と動くのが見えた。

　モップはどれもコンクリートプールの水につけたままなので、ぐしゃぐしゃに濡れていた。プールには苛性ソーダの希溶液が入っているはずなので足で踏みつけ、できるだけ水分を絞った。

　生徒の誰かがトレーナーを忘れていったらしく、テーブルの上にそれはくしゃりと横たわっていた。灰色と黒と褐色ぐらいの色しかない実験室の中で、その黄色いトレーナーだけが妙になまめかしく浮き立ってみえた。

　剣付き銃を持つような恰好でモップの握り棒の方を突きだし、宿直室に戻った。

　帰ってみるとあの蛇が居ない、ということになったらすこし厭だな、とふいに思ったりしたのだが、蛇は律儀にさっきと同じ形でコンクリートの壁にへばりついていた。

　部屋のまん中に立ってすこしの間どうしたものか、と考えていたが、どっちにしても方法はひとつしかないだろう、と思った。

モップを突き出し、蛇の頭のあたりを狙ってそのままこそぎ落そうとした。蛇は恭平の攻撃を待っていたかのように、モップの柄先が触れたのと同時にくにゃくにゃと激しく身をくねらせ、そのまま床に落ちた。

褐色をした五十センチほどの細長いぬら光りする生き物は、落ちるとすぐ音をたてずに全身を引き絞り、怒りの姿勢をとった。恭平は気持の内側がカッとあつくなるのを感じた。それからさて次にどうしたらいいものか、ということをすこしの間考えた。

モップを構えなおし、蛇を部屋の出入口のところまで転がしていくことを考えた。また柄の先端を近づけると、蛇はさらに怒りを募らせ、小さな首をもたげて口をあけた。

小さな蛇のくせに思いがけない程攻撃的な反応に出会って、恭平は困惑した。

ヤマカガシというやつだろう、と見当をつけた。蛇の種類をくわしくは知らなかったが、蝮ではない、という確信はあった。蝮はもっと胴が太く頭が平べったくてひと回り大きい筈だった。

引き戸をあけ、そのままモップの柄先で転がしながら外に出してしまえばいい、と思った。

蛇は全身を緊張させ、ゆっくり部屋の隅に動きつつあった。

「こら、そっちじゃない、こら」

恭平は自分でも思いがけないほど怒気を含んだ声で言った。

モップを持ち変え、穂先の方でゴミを掃いていくように、蛇の体をころがした。黒褐色の背と白い腹が交互にひるがえり、蛇はころがされながらさらに激しく全身をくねらせた。怯んでいる余裕はなかった。そうやって体を踊らせ、モップの穂先にからまって柄の方に這い上ってきたりしたらとにかく厭だ、という気分が先になり、恭平は強引にそのまま蛇を開け放った出入口のところまで運んだ。

車戸用のレールのところですこし引っかかり、蛇はまた赤い口をひらいた。

「このやろう、このやろう」

恭平はののしり、レールの上にそいつをこすりつけるようにして、なんとか外に押し出した。

秋のはじめというにはすこし湿っぽい夜の黒い空気が薄く均一にひろがっていた。かすかに虫の鳴いている大地の音がした。部屋のあかりがすこしひしゃげた角度で戸口の形を地面に描いていた。その光の中で、蛇は捨てられた紐屑のように複雑に自分だけの身をからませて、ぐったり動かなくなっていた。

死んでしまったのだろうか……。と、恭平はいらついた気分でその紐屑のようになった細長い生き物を眺めた。生きていても死んでしまっていても、もうすこし遠くの方へそいつを運んでおきたかった。そんなことは絶対にないだろうが、しかしそのまま放り捨てておくと、そいつはこの部屋に再び入ってくるような気がした。

もう一度モップをつかみ直し、からまった蛇を突っついた。そいつは思いがけない程優雅な身のこなしで、ぞりぞりと丸まった身を自分で解きほどき、闇の中に這いすすんだ。あの程度で蛇が死ぬわけがないのだ……ということに気づき、恭平はなにか命の畏敬に触れたような気がした。

開けはなった戸口から遠ざかるにつれてあたりの闇が急速にその濃さを増した。蛇は這いすすみ、そして唐突にまた動きをとめた。

すこしそいつを休ませることにした。恭平は動きを止めた蛇のかたわらで、なんだか果てしなく途方に暮れたような気分になって、そのまま暫く立ちつくした。

蛇は長いこと動かなかった。モップで突けばまたすこし這い進むのかもしれなかったが、もうそこまでやる気をなくしていた。

部屋に戻ると、ほんの数分間だったのに、すっかり夜気が部屋の隅々にまで忍び入り、温度をかなり下げているような気がした。

壁の時計は九時十五分になろうとしていた。

いまの一騒動でまた喉がひどく乾いてしまったような気がしたが、本当にそうなのかどうか、よくわからなかった。

あと四十五分で田口ツネ子がやってくるのに、部屋の中はこのままの状態でいいのだろうか、ということに思いをめぐらせた。

そして巡回時間の十一時までの一時間を田口ツネ子とどう過ごしたらいいのだろうか、ということをまたくりかえして考えた。そのことは午後からたびたび考えていることでもあった。

すこし前まで布団を敷いて蚊帳を吊り下げておこう、と思ったのだが、今の蛇の騒動で気が変ってしまった。そんなあつらえをしているところに田口ツネ子がやってきて、そうしてそういう状況のところに誰か学校の関係者が突発的な用でやってきたりしたら、もう説明のつけようがないではないか、ということに気がついたのだ。

「夏の宿直室は蚊帳が吊ってあるから風情があっていいですねえ」

と、田口ツネ子がすこしかすれた声で言うのを、恭平はざわざわと心の中がふるえる思いで聞いていた。蚊帳の中にツネ子が入ってきたとき、その花粉の群のような化粧の匂いに自分の体のいたるところが圧倒されてしまったのだろう、と思った。

その日、田口ツネ子は、学校が修理に出していた宿直室用のトランジスタラジオを電気屋が持ってきたので、と言って帰り際に届けてくれた。夏休みに入ったばかりで、恭平は三日連続の宿直代行を引き受けていた。田口ツネ子は事務職の交代勤務があってやってきたのだ。

七時をすぎ、あたりがすこし薄暗くたそがれはじめていた。

ツネ子は、昼間事務室で食べた残りだけれど、と言って茶色いボール箱の中に入った冷たいメロンを一緒に持ってきた。

「差し入れよ。夏休みの宿直というのは退屈でしょう」

と、ツネ子は戸口の一方の柱にうしろ手で寄りかかり、低い声で言った。

恭平はアンダーシャツの裾を慌ててズボンの中に押し込みながら、ひどく曖昧に笑った。

蚊が多いので蚊取り線香を二箇所につけ、布団の上に早くも蚊帳を吊ってしまっていた。

「もうこんな時間に寝てしまうんですか？　もっとも巡回で起きなければならないから、けっこう大変なんですよね」

ツネ子は蚊帳の四辺をぞろりと見回し、入口のところにメロンの入った箱を置いた。

「冷えているうちに食べますか？」

「あ、そうですね……」

恭平は相変らず曖昧に頷いた。

以前に二度ほど、恭平とツネ子は駅まで一緒に帰ったことがある。ツネ子は恭平より五つか六つ歳上で、郷里の九州に恭平と同じくらいの弟がいるからなんとなく親しみを感じるのよ、と正面から恭平を睨みつけるようにして言った。

そのとき駅前の喫茶店でツネ子はコーヒーを奢ってくれたのだ。

「あたしは昔、大阪にいたことがあるの」

と、ツネ子はその店に入ると急速にくだけた口調になった。

それから、大阪では上品ぶって気位ばかりやたらに高い女子高の図書館の仕事をしていたのだ、ということをどういうわけかじつにいまいましげに言った。口調のわりにはあまり表情に変化がないのがちょっとちぐはぐでおかしかった。

二度目に一緒に駅まで帰ったときも、ツネ子は同じ喫茶店に恭平を誘った。その時は定期入れからブローニー判の写真を二枚見せた。

両方とも弟と一緒に並んで撮ったもので、一枚は水着だった。ツネ子の弟は二枚とも顎を引き、妙に緊張したおももちでこっちを向いていた。

「あなたは、いつも夜中の巡回をきちんとやっているから一番安心だ──って松川のおじいちゃんなんかが言っていましたよ。先生の中にはもう面倒だからって歩かない人が結構いるのね」

机の中から見つけだした果物ナイフでメロンを四つに切りながら、ツネ子は相変らずのかすれ声で言った。

「巡回というのはやっぱり気味がわるいでしょ？」

「そうですね。風の吹くときとかはいやですね」

恭平は素直にこたえた。

「わたしはね、臆病なくせにこわい話がとても好きなの、夏の夜の怪談話とかいうのがね。夜中に巡回しているとき、そういう話をいきなり思いだしたりしませんか？」

「いや、とくにそういう話を沢山知っているわけでもないですから……」

恭平は、おそらく相手にとってこういう返事というのはあまり面白くないのだろうな、ということを確信しながら、しかし不器用にもそもそとそんなことを言った。

ツネ子の剝いてくれたメロンはすこし化粧品の匂いがした。けれどその匂いよりも二箇所の蚊取り線香の煙が部屋いっぱいに充満しているのが気になっていた。煙は天井のあたりでたなびき、電気の笠の裏側は夕霞のようにぼんやりけぶっていた。

「あのね、お願いしてもいいかしら」

と、田口ツネ子はふいにすこし改った口調で言った。

恭平は片手で自分の口もとを押さえ、ツネ子の顔に視線をとめた。

「あのね、一度誰かにお願いしたいと思っていたんだけど、私を校舎の巡回に連れていってもらいたいんです。もっと夜おそくなってからですね……」

田口ツネ子の申し出は意外なものだった。自分は怪談好きなので、よく友達らと怪談話を言いあうことがある。学校の宿直にまつわるおそろしい話というのが結構あって、そういう話を皆の前でもっともらしくしたいのだけれど、それには一度自分も実際に深夜の校内巡回というのを体験してみたいのだ、とそのことの理由を早口でよどみなく喋った。

間もなく恭平はツネ子の申し出を承諾させられていた。別に二人で巡回するのを禁止されている訳もなく、ツネ子の言うようにそのことを断わる理由というのは何もなかったのだ。恭平としても田口ツネ子と一緒に回ったほうが一人よりはずっと面白そうだったから、本当は気持の中で一も二もなく了承していたのだ。

定期巡回の十一時まで待っていると帰りの電車がなくなってしまう、ということもあって、九時三十分に二人で巡ってみることにした。

懐中電灯を二本用意して、二人してそいつをにぎやかに振り回しながら校舎を歩いた。

ツネ子にとってはさすがに初めて体験する風景の中だから、恭平と一緒にいても、最初のうちは全身で緊張しているのがわかった。けれども十分もすると慣れてきたようだった。

旧校舎の二階に上り、これで風が吹いているときは随分こわいでしょうね、とツネ子が言うので、恭平はコーさんに聞いたばかりの馬の鳴き声の話をした。

恭平としては丁度その場にふさわしいので、即座にその話をしたのだが、田口ツネ子にとってはむきだしの臨場感に囲まれていたのだろう。

「ひっ」

と短く息を吸うようにして、彼女はその場に立ち竦んだ。

闇の中で、ゆっくり体が揺れているのが見えた。

手を伸ばし、ツネ子の両肩を摑むのと、恭平の体の中にツネ子がしなだれかかってくるのとがほぼ同時のようだった。

「ひい」

と、田口ツネ子は喉の奥でさっきと同じ声を出した。人間のうめき声や叫び声というのではなく、馬の鳴き声というだけでそんなに恐ろしいものなのだろうか、と恭平はツネ子の肩を抱きながら漠然と考えていた。

ツネ子が恭平の脇の下からじわじわと片手をさし入れ、背中に回した。

「胸が厚い……」

と、田口ツネ子はやはりかすれた声で、ほとんど囁くようにして言った。

「火気注意・バケツに注水のこと」

と書いてある貼り紙の「気」と「注」の間に、蚊が一匹とまっているようだった。

ゆっくり立上り、祝いの席の拍手でもする時のように両手を左右に丸く拡げながら腰をこごめて貼り紙に近づいた。

けれど、それは蚊ではなくて単なる黒いしみだった。妙に落胆し、またもとの畳の上に、さっきと同じような姿勢で寝ころがった。

蚊帳の中で、田口ツネ子が着ている服を全部脱いでしまったとき、恭平は自分の体の全部がこの女性に圧倒されている、――と思った。「蚊帳が吊ってあるから風情があっていいですねえ」とツネ子が言ったとき、恭平はツネ子と一緒に蚊帳の中に侵入してきた一匹の蚊の音を聞いたような気がした。宿直室の裏が深い藪になっているので、夏になるとそのあたりは蚊が異常に多かった。

ツネ子が暗闇の中で裾の長いワンピースを着け、うしろ手で髪の毛をたくしあげるのを、恭平は今と同じように頭のうしろに腕を組み、目を凝らして眺めていた。闇の中にクーンとかすかな唸りをあげる蚊の音が、恭平の耳にいつまでも残った。

壁の時計が十時を回るまで、そのままの姿勢で待っていた。神経の八割以上は外の音に集中していた。

校舎は全体が冷静な大人のように静まりかえり、時おり遠くをオートバイか何かの排気量の少ないエンジンが地面を低く横這いに進んでいく音が聞こえた。

週刊誌をひろげて、読み残しをいくつか拾った。面白いものは何もなかった。

それから事務室に行き、電話の切り換え装置をもう一度点検した。黒い配線ボックスのエボナイト製のレバーが宿直室を示す「R」の位置に下りているのを改めて確認した。よほどの緊急な用件がないかぎり、その電話は滅多にかかってこなかった。

部屋に戻り、電熱器でやかんの水を沸かした。ニクロム線のひくくうなる音が何時もよりずっと大きく聞こえるような気がした。

十一時三十分になったとき、恭平は畳の上に両手を突き、腕立て伏せの姿勢をとった。それから、口をとがらせて大きく息を吸ったり吐いたりしながら、ゆっくり腕を屈伸させた。頭に血が集まり、耳があつくなった。

腕立て屈伸を五十回すませ、

「よしっ」

といって恭平は立上った。上履きの白いズックの紐をしっかり締め、懐中電灯を持って外に出た。

出るときに、戸に「巡回中」と書いた紙を押しピンでとめておいた。

コンクリート造りの新校舎を手早く見て回り、旧校舎に入るとき、大地で鳴いている虫の声が夕方の頃(ころ)よりも相当に増えているな、ということがわかった。

板張りの廊下をあまり踏み音のしないように歩いた。

今日は風が殆(ほとん)どないけれど、二階へ上ると、今夜あたりもしかするとあの馬の鳴き声が聞こえるかもしれない、などということをふいに考えたりした。

それから、もし二階に上ったところでふいに田口ツネ子が立っていたりしたら、自分はそれを恐ろしいと思うだろうかどうだろうか、ということについてすこしの間考えた。

田口ツネ子はあの日、馬の鳴き声のことを話したコーさんというのは、もしかするとその
むかし男色家だったのかもしれないわよ、と蚊帳の中で唐突に言った。

「あの話しかたとか、料理をする手つきというのが、どうも普通の男とは何か別のものを感じるのよ」

と、ツネ子は薄闇の中で、顔だけこちらにむけて言った。

「学校の中というのは、結構いろんな噂(うわさ)が走り回っているから油断のならないところなの」

と、彼女は再びあおむけになり、ふいに何かをためすような口調でそんなことを言った。闇の中で、田口ツネ子の乳首がぷくんとひとつ真っすぐ上を向いているのがおぼろのシルエットになって見えた。

ツネ子にこの話を聞いてから、恭平はコーさんのつくるトロロコンブ汁をいつも最後にすこし勢いをつけて喉に流しこむようになってしまった。以前のようにあまりしみじみとうまさを味わいたい、というものではなくなってしまったのだ。

何時もより遅い時間の第一回目の巡回が終ると暫くして恭平は布団をひっぱり出し、その上に服を着たまま寝ころがった。

恭平が巡回している間、宿直室には誰も入ってきた気配がなかった。

子持ち電灯のスイッチを引っぱり、赤黒い常夜灯にした。その照度ではもう壁の時計の時刻を読むことはできなかったが、紐スイッチを引っぱるとき、十二時十五分になっているのをチラリと見た。眼覚し時計を四時にセットしたが、おそらくそのくらいの時間まで睡らないでいるかもしれない、と思った。

けれど恭平は結局ねむってしまっていた。

睡りながら一度、誰かが確かに部屋に入ってきたのを感じた。車戸のレールがアヒルの囁き声のような音をたててわずかに軋み、田口ツネ子がしのび足で部屋に入ってくるのを感じた。田口ツネ子は素っ裸のまま、ひわひわと不思議な声で笑っていた。

けれどそれはツネ子ではなくて実は小さな黒い蛇(へび)なのだ、ということも、恭平はよく理解していた。

まあいいや、今頃はきっと蛇の戻る時間になっているのだから、このことについてはあとでゆっくり考えてみればいいのだろう、と思った。

それから用務員のコーさんが板張りの校舎をゆっくりゆっくり歩いてこっちへむかってくるのを恭平は七・五帖(じょう)の高い天井のあたりから見つめていた。コーさんがふいにここにきても部屋にいるのは蛇なのだから何も心配することはないのだ、と思った。

浅い睡りの中で恭平は胸もとをかきむしり、そのことを考えるとすこし安心した。それから結局自分はこうして朝までやさしく起きたままでいるのだろうな、と思った。

クックタウンの一日

ケアンズからクックタウンまでを結ぶアンセット航空の飛行機は、三十人乗りの小型双発機で、グレートバリアリーフの海の上を乾いたエンジンの唸(うな)りをあげながら、ずっと低空で飛んできた。

乗客は二十人ほどだった。ケアンズの空港待合室でチラリと見かけた日本人の男女二人連れが、私たちの席の斜め前に座っていた。あとはみんな地元のオーストラリア人のようだった。

ブリスベンからケアンズへ、そしてクックタウンへと、私と大杉峰夫の旅は怠惰な気配で流れていた。

キャプテン・クックのオーストラリアでの足跡を追っていく、というのが、私と大杉の仕事だったが、私たちの取材をアテンドする筈(はず)だった地元の通信社の男がひどくいいかげんで、私たちは行く先々で出会うとんでもない連絡違いにいささかヘキエキしていた。

普段でも怒りやすい大杉はブリスベンを出るときからカッカと頭に血をのぼらせてしまい、移動中は酒をのんであとはもうずっと寝てばかりいた。

私たちの斜め前に座っている日本人の男と女も、ケアンズからずっとねむっているようだった。

私は二年ぶりに見るグレートバリアリーフの蒼くかすむ海の広がりに、なんだかずっと上気したような気持になっていた。

二年前、私は十人ほどのテレビチームと、この世界でも屈指といわれている蒼い美しい海域を取材に来たことがある。そのときはリザードアイランドから船に乗って、連日海の中に潜りながらこの海域を北上してきたのだ。

私の手の中でフォーエックスのカンビールがすっかり空になっていた。スチュワーデスがやってきたらもう一本貰おうと思っていたのだが、化粧の濃いそばかすだらけのたった一人のスチュワーデスは、機の前方のカーテンの中からもうずっと永いこと出てこなかった。見回したのだがスチュワーデスの呼び出しボタンはついておらず、それならば自分で呼びにいこうかどうしようか、と迷っているうちに、天井からいきなり野太い声が聞こえてきた。パイロットが、間もなくクックタウンに着陸する、ということを乗客につたえてきたのだ。

私はビールの追加を諦め、シートベルトをすこしきつめに締め直した。

そのとき、カチリッという音がして、私の斜め前の席から逆にシートベルトのとめ金をはずす音がした。日本人の女がすこし頭をのけぞらせ、座席の中の睡りから今しがた起きたらしい、ということがわかった。パイロットのガサついて耳ざわりに大きな拡声器の声で眼がさめたのだろう。

女はふいに立上り、飛行機の後部のあたりを振り向いて眺めた。そしてそのとき、はじめて私は女と視線を合わせたのだった。

何かで染めているのか、パーマのかかった豊かな髪の毛はいくらか赤い色をしていた。つんと尖った顎と大きな眼がなにかひどく強引で挑戦的な草原の肉食動物を思わせた。

女は私の顔を見てふいに笑った。突然出会った日本人同士の挨拶というようなかんじであったが、それは実にあっけらかんとして気持がよかった。

女は立上り、赤っぽい髪をゆさゆさふるわせて機の後部へ歩いていった。トイレにいくのだろう。そんなに大柄ではなかったが、その動きはなんだかおそろしく迫力があった。

「ライオンだ……」

と、私は思った。

クックタウンの空港は、南洋の小さな島の飛行場と似たかんじだった。ローラーで固めた赤い土の滑走路がどおんと無愛想に延びていて、その一番はずれのあたりに白いペンキで塗った木造の空港事務所があった。

午前十時の北東オーストラリアの空気は、カーンと蒼く突き抜けた空の下で気分よく乾いていた。

ポーターがトラクターで荷物を運んでくるまで、私たちは事務所の近くの木の蔭でひと休みした。

大杉は空を見上げ、

「晴れてやがるなあ……」

と、顔をしかめながら言った。

「毎日おんなじだ……」

赤い髪をしたライオンふうの女は、事務所の正面の植込みの中で太ったオーストラリアの女と何か話をしていた。植込みの中はそのあたりで一番の濃い陽蔭（ひかげ）をつくっていた。頭の上に沢山の葉を繁（しげ）らせた大きな樹（き）が一本。あれはクイーンズランド・メープルというやつだな、と私は見当をつける。

大杉と一緒にキャプテン・クックの足跡を追う私たちの旅は、同時にこの国における動植物紀行も兼ねていた。

私はライオンの連れあいを捜した。グレーのすこししゃれたサマースーツを着た三十五、六の男だ。

男は空港事務所の横に立ち、ハンカチで眼鏡をぬぐっていた。

「日本人旅行客が乗っていたの知っているか？」

私は大杉にひくい声で聞いた。

「ああ、いたな。中年のアベックだろ」

「知ってたか」

「ああ」

大杉はケアンズに着いたときからずっと不機嫌だった。彼とはもうながいことあちこちの旅をしているので、その連続した不機嫌も私にはあまり気にならなかった。日本を出てからもう一カ月。男二人だけで動いていると、時おり意味もなくいろんなことが鬱陶しくなったりするものだ。

我々の荷物を運んできた中年のポーターはトウモロコシのような顎鬚をはやし、膝まである長い半ズボンをはいていた。

乗客はトラクターの横枠のない平らな荷台の上から自分の荷物を勝手に引っぱり出すようになっている。

乗客の一人が早口のオージーイングリッシュで何か言った。

「ひゃひゃひゃっひゃっひゃっ」

と、鳥のような声を出して、トウモロコシ鬚のポーターが笑った。

「あいつなんて言ったんだ？」

「わからん。どうせつまらないことだ」

空港から町まで車で十分もかからなかった。町といっても、たった一本の海辺の道沿いに数軒のレストランとかガソリンスタンドそしてモーテルとわずかの人家が固まっているだけの、おそろしく淋しいところだ。人口六百人。大昔にキャプテン・クックが初めてこの地に上陸した、というだけのところだから、仕事といってもいくつかの場所を写真に撮り、地元の人の話を聞く、といった程度のことで終ってしまう筈だった。

しかし私たちはここに一週間ほど滞在する予定になっていた。それも、今度の取材旅行をアテンドした通信社の男の不手際で、一週間しないと次のダーウィン行きの飛行機に乗れないのである。

男はシドニーのオフィスから我々の泊っているケアンズのホテルまで、そのことを簡単なファクシミリでつたえてきた。そしてそれから行方不明なのだ。大杉がすっかり不機嫌になってしまったのはその晩からだ。

「まあいいじゃないか。二日で仕事をすませて、あとはタナボタの休日のつもりでその町でのんびりしようよ」

と、私は言ったのだが、大杉は「野郎シドニーへ行ってぶちころしてやりたいくらいだ」と怒ったままであった。

クックタウンのモーテルは海の見える小さな丘の上にあった。プレハブの粗末な造りで、客室は十二、三しかなかった。ワンルームに小さなクーラーがひとつ、冷蔵庫の中に紙箱入りのミルクとプラスチック瓶の水が入っていた。

トランクをベッドの上に放り投げ、新しいTシャツとジーンズをひっぱり出した。とりあ

えず洗濯してある衣類の最後のペアだ。ずっと慌しい移動が続いたので汚れ物がたまってい
たが、クックタウンの一週間でこれらは全部綺麗に洗濯できる筈だった。

シャワーを浴びて新しいシャツとジーンズをつけると、なんだかすっかり元気になった。

大杉の部屋に行くと、彼はベッド中にカメラの機材を拡げ、床を砂でザラザラにしていた。

「まいったよ。ヘロン島の砂をここまでこんなにもってきた」

「ひどいもんだな」

「ああ、一台はもうそろそろオシャカだな。塩にやられてミラーがうまく動かない」

「請求できるだろ」

「ああ」

テーブルの上にフォーエックスのビールが乗っていた。

「冷蔵庫に入ってたのか？　おれのところはミルクだけだったけど」

「キッチンに行くとくれるよ。金はあとでいいそうだ」

大杉の背中に汗のしみが広がっていた。

「さっき外でビールのんでいたら、空港にいた日本人のアベックがこのホテルに入ってくる
のを見た。新婚旅行とも思えないしいったいなんだろうな、あいつら……」

「うん、なんだかあやしげだな。しかし女は美人だったよ」

大杉はカメラの掃除が終ったらすこし海のまわりの写真を撮りに行ってくる、と言った。

「夜まで勝手にしよう。まあ夜になってもビールをのむぐらいしかやることはないけれどな……」

私はこの旅に持ってきた七冊のうち読み残してある一冊の本を持ち、ビーチサンダルを指の先にひっかけて坂をおりていった。残った一冊の本はコンラート・ローレンツの『ソロモンの指環(ゆびわ)』だ。

オーストラリア海岸沿いの動物や植物をテーマにした紀行を書く旅の途中に、このノーベル賞学者の動物学の本を読むのは最適だろう、と思って持ってきたのだが、そのほかのミステリーやSFの本を読む方が面白くて、とうとう最後まで読み残してしまったのだ。

正午近くのクックタウンの町は静まりかえっていた。

海に面して山側の道沿いにこの町の住人たちの建物がわずかに並び、海側のなだらかなスロープは自然の公園のようになっていた。

芝生の上に葉の密集した樹が沢山生えていた。

今度の仕事のために、私はオーストラリアに着くと同時に小・中学生が使うくらいの植物図鑑を買った。そして知らない樹に出会うたびにひとつひとつ丁寧に調べていったのだ。

赤道から南半球に向って広大な面積をもつこの国は、旅を続けていくにつれて面白いほど激しくその植物相が変っていく、ということがわかった。

私はモーテルに植物図鑑を置いてきてしまったことをいくらか悔やみながら、その林に入っていった。

木立の中に足を踏み入れるのと同時に甘い芳香が私をとらえた。

東南アジアや南の島で幾度も出会ったことのある甘い熱帯の匂いだ。

正体はすぐにわかった。足もとの草の上にマンゴーがころがっているのが見えた。熟れて樹から落ちたばかりのもののようだ。

ふと見上げた樹に沢山のマンゴーが実っていた。私は嬉しくなり、落ちているマンゴーを拾った。ここにも、あそこにも……。

部屋に持ってかえって冷蔵庫の中に入れておくといいな……。私は本を脇の下に挟み、両手にいっぱいのマンゴーを拾った。

そのままさらに緩いスロープを下っていった。海の近くの樹蔭に入って、このうちのいくつかをたべてみようと思ったからだ。

歩いていくとさらに沢山落ちているのが見えた。私は両手の中のいくつかのマンゴーを眺め、手の中のものよりもっと熟れていそうなのをいくつか取りかえた。

さらに斜面を下っていくと、足もとに落ちている数がもっと増えてきた。そして林の中の、巨大なマンゴーの樹の下で足もと一面に熟れたそいつが落ちているのを見て、私は両手のマンゴーをそっと捨てた。

この町では拾って持って歩かなくても、ほしいときに拾えばそれでいいのだ、ということに気がついたからだ。

私はその巨大なマンゴーの樹の下でゆっくり周囲を見回した。なんだかすこし恥ずかしかったからである。

斜面の先はいきなり断崖になっているようだった。ふいにブッシュが盛りあがり、そのむこうで海の音がかすかに聞こえた。けれどそこから海はまったく見えなかった。

私は急に体のあちこちから噴きだしてくる汗を感じながら、そのあたりは風がまったく吹きぬけていない、ということを知った。

マンゴーの林の緩やかなスロープをのぼり、再びクックタウンのメーンストリートに出た。黒炭のように深く黒い肌をした原住民のアボリジニが、酒に酔った足どりでのそのそと道路のはじを歩いていた。この国で出会う彼らの多くは昼間から大抵酔っ払っていた。

小型トラックが緑色のディンギーを積んでフルスピードで走り抜けていく。車が走り去ってしまうと、また沈黙した熱気だけが戻ってきた。

小型トラックの走ってきた方向に二百メートルほど歩くと、ふいにディキシーランドジャズが聞こえてきた。トランジスタラジオが鳴っているらしく、しゃかしゃかと高音部だけが気ぜわしく熱気の中にとびはねている、というかんじだった。

緩いカーブの木立の先にいきなりレストランがあった。レストランといっても太い柱を何本も立てて、その上に屋根と天井をのっけたような妙な形をした店で、中庭にビーチパラソル付きの丸テーブルがいくつか見えた。

そうだ、ビールをのもう、と私は強すぎる陽ざしの中で、一人で頷いた。そうだビールをのむために私は町に出てきたのだ。

庭の中に入るとなまぬるい風が頭の上の空気をかき回していた。見上げるとインドのレストランにあるような巨大な扇風機が天井でゆっくり回っていた。

「ビールはいまフォスターしか冷えていないけどね」

と、鼻の頭のところに陽焼け防止のための白テープを貼りつけたしゃくれ顔の若い女が言った。

ナッツの入った紙袋とミートパイをついでに買い、ビールを握りしめて中庭の一番すずしそうなテーブルを捜した。

まばらの客は丸テーブルの上のパラソルの蔭に身をかくし、庭先できんきんいうラジオの中でなんとなくみんな黙りこんでいるようだった。

「こんにちは」

と、私のうしろ側で歯ぎれのいい声がした。振りむくと、斜めうしろの黄色いパラソルの下から濃いサングラスをかけた女が顔をのぞかせていた。飛行機の中で出会ったライオンふうの女だ、ということがそのもやもやっと広がった赤い髪の毛ですぐわかった。薄いブルーのTシャツに幅広のショートパンツをはいて、すっかりくつろいだかんじになっていた。

「いきなりごめんなさい」

女はサングラスをはずし、人なつっこい顔をして笑った。鼻を中心にしてキュッと丸い円を描くような不思議な笑い方だった。

「あついですね。海が近いのに……」

あたりを見回し、女はさっきと同じようにラジオのアナウンサーのような歯ぎれのいい口調で言った。

「すわっていいですか?」

女は頷き、私はナッツの入った紙袋とミートパイをテーブルの上に置いた。女の向いに座ったが、なんとなく気後れがして、私はあわててフォスタービールのプルリングを引き、ひと息に半分ほどのんだ。

「すごい」

女が言った。

「ビールがすきなんです。モーテルからずっと我慢してここまで来たわけですから……」

女はまた丸い円を描くようにして笑い、自分もビールをのんだ。ひと口のんで息をつき、女は私の眼をのぞき込むようにした。

「仕事でこられたのですか？」

「ええ、まあ……」

私はなんだかすこしどぎまぎし、自分の腕でひたいの汗をぬぐった。

「あなたもそうですか？」

「……まさか」

女はうつむき、すこし笑った。

私たちはなんとなく話が合うようだった。どこに住んでいて、どんな仕事をしていて、今はなんのためにここに来ているか、というような話は一切するのやめましょうね、そういうことに一切触れないでここでしばらく話をしましょうよ、と女は小学校の先生が一学期の終業式の日に夏休みの注意を生徒たちにきっちり申しつけるようなかんじで、まずはじめにそう言ったのだ。

私はなんとなくそのライオンのたてがみに威圧されるような気分になり、すこし曖昧に笑いながら頷いた。頷きながらうん、それはなかなかいい提案だぞ、と思った。

私たちはそこで交互にビールを買いに行き、二時間ほど話をした。

話しはじめて間もなく、両方とも海に潜ることが好きだ、ということがわかったので、話はずっとその周辺のことになった。女はお互いに現在の旅のことについて話をするのはよそう、と自分で言っておきながら、このあと南下してたぶんタウンズビルからヘイマン島へ行き、そのあたりで海に潜ることになるだろう、と陽気な声で言った。

赤髪のライオンは話しながら時おりカンビールを自分の眼の高さのあたりまであげて、その長い指先で「コツン」とはじいてみせた。

「あなたはそれでこの海には潜らないの?」

と、女はカンビールをコツンとはじきながら言った。一時間の話でお互いにずっとくだけた口調になっていた。

「もしよかったら今夜でも泳いでみようかしら。あなたもどう、ご一緒に?」

女は小首をかしげてそう言った。

「とんでもない……」

私は顎を引き、女の顔を眺めた。

「そうか。ボックス・ジュリーをまだ知らないんですね」

「なあにそれ。えーとハコクラゲってことね?」

「そう、そうです。今の季節はこのあたりボックス・ジュリーでいっぱいになるんですよ。トーフのような形をしていて四隅に尾を引いたヘンなやつです。刺されたら間違いなく死ぬそうですよ」

「ヘェー、本当ですか?」

「本当です。だからこのあたりの人、今の季節は誰も海で泳がない筈です」

「全然知らなかったわ」

「本当ですよ」

女は私の眼を見てゆっくり頷き、

「そう、こわい話なのね」

と、ひくい声で言った。

女と話している間に陽がいくらか傾き、テーブルの上のパラソルのつくる蔭が小さくなっていた。

「わたしはこの町、きょう一日かぎりなんです。明日、わたしの男がレンタカーでわたしをもっと暑いところへ連れていくんです。金持ちでね、わたしにとてもやさしくて、よく仕事もやってね、けっこういい男でもあるんだけれど、でもたったひとつ困ったことがあって……」

女は思わせぶりにそこでひと息つき、それから言った。

「それはわたしがその男を愛していない、ということなのね……」

女は白い木の椅子に背中をあずけ、くつろいだかんじでそんなことを言った。酔っているのだろうな、と私は思った。

犬が中庭にいきなり入ってきて、庭に敷きつめてあった小石を撥ねあげながら「はっはっはっ」と荒い息をついてぐるぐる走り回った。

「クソ犬、出てけ！」

店の中から男が叫んだ。犬はなにか妙に興奮しているようで庭からの出口を見失い、前よりも激しく動き回った。

ライオンの女が立上り、犬にむかって早口で何か言った。店の男とまわりの客が陽気に笑った。なにか荒っぽいオージースラングのようだった。店の男に追い回され、間もなく犬はここに入ってきた時と同じように大あわてで出ていった。

「さあ、わたしたちもそろそろ出ましょう。クソ女も出てけ、ですよ」

赤髪のライオンは立上り、両手をちょっと空にひろげてみせた。

モーテルに戻る前に海岸へすこし寄っていきましょう、と女は言った。馬に乗った若い男がどういうわけか首と肩をがくりと落して、体を大きく前後にゆさぶりながら歩いていくのが見えた。海に続く道にはまた何匹かの犬がうずくまったり、走り回ったりしていた。

「ここは犬が多い町みたいですね」

ようやくからだ全体で感じはじめた海の風にむかって私は言った。けれど、どういう訳か女はそれには何もこたえなかった。

海岸には太い丸太で組まれた背の高い栈橋（さんばし）があり、そこに二、三十トンほどのずんぐりした船がもやってあった。

老人が二人その先端で釣り糸を垂れ、年齢がよくわからないアボリジニがなにかブツブツ言いながら、すこし離れたところでその二人を眺めていた。

「いい風景ね。わたしは好きだわ、こういうの」

海からの風に赤い髪の毛をわらわら踊らせながら、突然女が明るい声で言った。

海は明るい緑色だった。よく晴れているのに水平線のあたりは薄いブルーとぼんやりした白い霞のようなものが混りあって、あまりはっきりとは見えなかった。

女と私は桟橋にあがり、先端まで歩いた。太い丸太だけで造られている桟橋は、歩くとそのまま私たちの歩いているとおりに揺れてしまいそうに思えたが、実際には何もおこらなかった。

「そのヒトゴロシのトーフはどこにいるのかしら」

女は足もとの丸い杭に打ちつけて砕けるおだやかな寄せ波を指さしながら言った。ボックス・ジュリーのことについては話を聞いているだけで、私も実際にまだ見たことがなかった。

「いつもいたるところにいる、という訳ではなくて、海流によってあっちこっち漂っているのだと思いますよ。とにかくクラゲなんですから……」

「ああ、そうね。そんなにごちゃごちゃといたりはしないのでしょうね」

「きっとそうだと思いますよ」

桟橋の先端に座って釣りをしていた老人が、ピチピチと激しく身をくねらせる銀色の魚を釣りあげた。二十センチぐらいの平たい魚だった。

「やっとわしの恋人がきた」

老人は私たちを見上げ、しわがれた声で言った。

「ねえ、あなた。今夜食事がすんだら、またここに来てみない。南の海は夜くるのが一番なのよ、知っているでしょう……」

女は風の中で私を見つめた。

この人はやっぱりけっこう酔ってしまったのだ……。それにしてもこの女の連れの男はいまごろ何をしているのだろうか……。瞬間的に私はいろいろなことを考えた。赤髪のライオンはただ本当になんとなく夜の海が見たいからそう言っているので、そんなにあわてていろんなことを考える必要はないのかもしれない、と思ってもみたが、女の話し方はまだすこしも酔っているふうではなく、私は私でその申し出をかなり真剣に考えていたのだった。

変った女だ、なんだかすこしこわいところがあって、本当にライオンみたいな女だ……、と私はすこしうろたえながら思った。

「ね、そうしましょう。夕食はまあお酒のんだとしてもせいぜい九時には終るから、そのあと頃あいを見はからって、ここにきましょう。ヒトゴロシのトーフは夜にくるのかもしれないし……」

女は笑い、また両手をあげて今度はわさわさと自分の赤い大きな髪の毛をするどくかきおくってみせた。

私はまた曖昧に笑い、それで結果的には頷いたことになったようであった。

大杉は、私の帰るすこし前にシドニーの通信社の男とようやく連絡がとれたところだ、と言った。どこで買ったのかスーベニールショップで売っているような安っぽいカンガルーの絵の入った黒い袖なしシャツを着て、ぴしゃぴしゃと、ややせりだし気味の腹を叩き、ようやくすこしおだやかな顔になっていた。

そのまま部屋の前の海の見えるベランダでとりとめのない話をした。大杉は女房が二人目の子供を身籠っていて、あと一週間すると臨月になるのだ、ということをはじめて私に言った。まったくこんなにビジネスのルーズなところから早く帰りたいよ、と大杉は空になったカンビールをカリカリと強引に握りつぶしながら、いまいましげに私の顔を見た。

私はさっき赤髪のライオンとのんだビールでいくらか酔っていたので、つめたいジンジャエールをのみ、黙って聞き役になっていた。

大杉のすっかりグチの多くなった話をひとしきり聞き、夕方七時頃食事をしにいこう、ということを決めてから、私たちはそれぞれの部屋に戻った。私はシャワーを浴び、とくにいま急いでは何もやることがないな、ということをぼんやり考えながら、クーラーをきかせた部屋ですこしの間ねむった。

私の、なんだかぐったりと湿って重いような夕方の睡りをさましたのは女の叫び声だった。私は夢を見ていた。それは包帯をミイラのように顔中ぐるぐるまきにした女が両手で必死になってほどいているところだった。ほどきながら女が泣き叫んでいて、それはなんだか気持の底のほうからじくじくとイラついてくるような、不快でひどくおぞましい声であった。ドアをノックする音がその夢を断続的に叩きこわし、私は汗をかきながら眼をさました。大杉がドアの間から顔をのぞかせ、「おい！」と言った。夢の中で聞こえていた女の泣き声が、夢の中だけでなく、実際にあたりの空気を引きむしるようにして、気ぜわしく聞こえているのがわかった。大杉がドアをあけたので、それで外からの声が前よりもよく聞こえるようになったのだろう、と私はすこしたってから理解した。

「おい、おきろよ」と、大杉は言った。それからドアを閉めベッドのそばにきて、なんだかぐったりしたような顔をして、「おい、どうするか？」と言った。

「あの日本人のアベックだよ。なんだかしらないが、すこし前からあいつらの部屋であの騒ぎがはじまったんだ……」

私はベッドに半身をおこし、頭や首のうしろを掻いた。女の泣き声はいくらか強弱をつけてゴムのようにふくらんだりしぼんだりしているかんじだった。

「このモーテルの女主人が、同じ国の人たちなんだからちょっと行ってみてくれないか、と言うんだけど、どうせ痴話喧嘩なんだろうからわざわざ行くのおれはいやなんだ。それでほうっとけばいいと思っているんだけどな……」

私は起きあがり、冷蔵庫の中のつめたい水をのんでから、のそのそとシャツをかぶった。

「どうしちゃったんだろう……」

「だからさ、男と女の世界のことだからな、どうということもないと思うんだよ。まったく本当にうるさいやつらだよ……」

どういうことにするか態度をきめかねたまま、私と大杉は部屋の外へ出た。

数時間前よりもずっと風がひんやりしているのがわかった。

おかしなことに、私たちが外に出てしばらくすると、女の泣き声はふいにおさまってしまった。泣きつかれたのか、ねむったのか。あるいはかれらの部屋の中でなにか別の収拾策が見つかったのか、とにかく事態は急速に収っていきそうな気配だった。

私たちが外に出たのを察したらしく、モーテルの女主人も外に出てきた。大杉が蚊を払うようなしぐさで手を振ると、女主人は「ひゅん」とすばらしい早さでウインクをし、また部屋の中に戻った。

「国際カケオチというやつかもしれんな」

大杉がつまらなそうに言った。

私たちはその足で夕食をたべに町に出た。町といっても結局は昼間私が赤髪のライオンとビールをのんだレストランしかあいていないので、私はまたそこのテーブルにさっきよりもすこしぐったりした気分で座った。

ウイスキーとビールを交互にのみ、茹でてすぎてぐちゃぐちゃのスパゲティをたべた。赤い髪の女が、気を取り直して、彼女のその正体のよくわからない恋人と一緒に夕食にやってくるだろうか、と思ったが、客はオーストラリア人ばかりだった。

昼のビールがまだ体の芯の方に残っているのか、私は間もなく全身が重だるく疲れてしまった。

大杉が勘定を払い、私たちは熱気の残っている道路に出た。海からの風にマンゴーの匂いが昼間よりももっと濃厚にまじっているのがわかった。夜の空に雲が流れていた。

「ちょっと海に寄っていくか？」

大杉が言った。

「いいよ、今日はいいよ。一週間もいるんだからさ。今日はもう疲れたからおれは本格的にねむるよ……」

闇の中で大杉が頷くのがわかった。

私は上をむき、ぐりぐりと首を回した。上空は風がつよいのか、流れていく雲の動きが早かった。

「キャプテン・クックがここに上陸した時の天候がどんなだったか知っているか」

空を眺めながら私は言った。

「知らないよそんなこと」

「低気圧だ。低気圧がやってきていて、海はけっこう荒れていたんだ。このあいだ読んだ本にそんなことが書いてあったよ」

「ふーん。そうか低気圧か」

大杉がたいして興味もなさそうな声で答えた。

私たちはそれからまたしばらくだまって歩き続けた。

桟橋のむこう

津由木沢で出会ったアームはすこし変った男だった。

「おれ、コーラ中毒でな」

と、会ってまず最初に、アームはそんなことを言ったのだ。雲のない、秋のはじめの、強い午後の陽ざしを浴びながら、私とアームはまるで決闘でもするように、桟橋の上で向い合っていた。

「だから、気にしないでもらいたいのさ」

と、アームは斜め向いを走っていくモーターボートを見ながら言った。

彼の左手に、ウイスキーのポケット瓶が握られていた。ラベルがすっかり剝げ落ちてしまっているので、果して何が入っているのかわからなかったのだが、素早く瓶の蓋を取り、ふた口ほど中のものを飲んだ。ポケット瓶に入っているのがどうやらコーラのようだった。

「それから、名前はアームと呼ばれてんので、アームといって下さい。いろいろ言って申しわけないけど……」

と、彼は、そこですこし照れくさそうに海を眺め、はじめて顔を、くしゃりとつぶすようにして笑った。

駅前のダイビングショップのマスターから手渡されたメモにはアブタ丸の藤木猛という名

前が書いてあった。アームというのは彼の愛称なのだろう。歳は三十五、六というところだった。

「すぐ行きますか？　ポイントは岬を回ったちょっと先だから、そんなに時間はかからんけどの」

と、アームは空をほんのすこしだけ見上げて言った。

「天気もこれは夜まで変らないしの」

「それじゃ、十五分後ぐらいということで……」

私はアームが、もう一度ポケット瓶の、なるほどウイスキーにしてはあきらかに濃すぎる液体をぐび、とさらにひと口飲みこむのを見ながら言った。

「じゃエンジンかけとくから、好きなときに……」

私は桟橋の入口のところに停めておいた車に戻り、トランクの中のものをそっくり外に出した。車の蔭で服を脱ぎ、五ミリのウェットスーツを着る。アブタ丸の上で着がえるつもりだったが、桟橋に立ってみると、思ったよりも沖の波が高かったので、そっくり地上で仕度をしていくことにしたのだ。

桟橋から岬を回るとめざすポイントまで五分もあれば着いてしまうでしょう、とダイビングショップのマスターも言っていたのを思いだした。

すでにハーネスに取り付けられてある空気タンクをぶら下げ、フィンやマスクをもう一方の手に下げて、ぺたぺたと桟橋の先にもやってあるアームの船、アブタ丸に向った。

津由木沢のアマドマの捨石の近くに群生しているショウガサンゴのポリプを撮影するのが、その日の私の仕事だった。魚や貝類と違ってサンゴは、あらかじめ群生場所を調べることができるし、狙って動かない被写体だから、この一連の仕事は、私にとっては楽なものだった。

アブタ丸は、正確にはSUPER SHIP ABUTAといい、彼のその船の船首のところにもそう書いてあるのだが、もともと漁船を改装しただけのダイビングボートだから、このへんの浜の人もダイビングショップの人々もみんなアブタ丸といっている。という話を聞いたばかりだった。

アームは、操舵室の窓から顔だけを出して沖を見ながら煙草を喫っていた。

「悪いけど、乗る前に、とものところのロップをといて投げてくれると助かるがの」

と、彼はすこしねむそうな声で言った。薄紫色の排煙を気のひける程大量に海面にまき散らし、アブタ丸は桟橋を出た。

船足は思ったよりも早く一文字の波止堤をこえると、急にうねりと波がきつくなった。風は南から斜めにぶつかってくるので、左舷のしぶきが海の花火のように大袈裟に舞いあがり、飛沫の粒々が逆光におそろしいほど白く輝いた。

浜の人が岬と言っているアギの鼻の巨大な岩の突起を回りこむと、波はいくらかおさまってきた。

と、アームが操舵室の中から大声で怒鳴った。波が左舷にぶつかる音がほとんど消えたので、そのあたりで漸く話ができる状況になった。

私は顔をねじまげ、操舵室を見上げた。

「テレビがロケに来たことがあんのよ」

と、アームは砕ける波濤に向って怒鳴った。

「刑事もののよお、なんていったっけなあ、自殺した役者がいただろう」

アギの鼻の突端の岩で大波が崩れ、巨大な白い波の舌が、海面からするすると岩肌を這うようにしてのぼっていくのが見えた。突端の岩壁の左右には同じように切りたった崖が続いており、波は崖の下でうねりの背をひるがえし、白い波濤の先端を激しく泡だてていた。

「なんてったっけなあ。二枚目のよお」

「わからないなあ……」

私も怒鳴り声をはりあげた。

「なんてったっけなあ……」

アジサシが海面ひくく、鋭い哨戒機のように、風に向って空気を切り裂いていくのが見えた。

空は晴れあがり、西側の水平線のはるかな先に掃き寄せられたようにわずかな雲がはりついているだけだった。

　エンジンの音が変り、アームはまた操舵室に顔をひっこめた。波はアギの鼻を超えてかなりおさまっていたが、大きなうねりが船をゆすぶっていた。思いがけないほど慎重に、アームは低速前進でめざすポイントを探しはじめた。もっともポイントの上に船を着ける、ということが彼の第一番目の仕事だった。

　私はレギュレーターの残圧ゲージをもう一度確認し、べたりと甲板の上に尻(しり)をつけたままタンクを背負った。座ったままフィンをつけ、木綿の手袋をした。

　エンジンがさらに微速に落ちると、とたんに私たちのまわりに激しくざわめく波の音と、岩崖に当って砕ける波濤の音が広がった。

「この下だあ」

　と、アームがまた操舵室から顔を出してさっきと同じくらいの大声で怒鳴った。エンジンの音がすっかり低くなっているので、アームの怒鳴り声まで海面に広がっていくような気がした。

「ありがとう」

「だいたい八尋(ひろ)だあ」

　ダイビングボートにはたいてい音波反射式の水深計がついている。一尋は一・八メートルなので、めざすショウガサンゴの群生している海底はおよそ十五メートルほどの下にある。

バケツの中の海水に水中眼鏡をつけ、さっき塗っておいた曇り止めの薬を洗い流した。そうしないと、薬が眼（め）にしみて水中眼鏡の中で涙を流すようなことになる。

レギュレーターを口にくわえた。眼鏡と空気のタンクを両手で押さえると右舷から海面に飛び込んだ。アームが甲板の上に置いておいた水中カメラを、すこし緊張した顔で、うねりに激しく浮き沈みする私に素早く手渡してくれた。

「シオは中に入るとなくなるで」

と、アームが舷側から身を乗り出すようにしてまた怒鳴った。私の体は、船からもう五メートルほど流されていた。潮にあまり流されないうちに、潜った方がいいようだった。

私は親指を立て、私が少しずつ流されていくうしろの方を指さした。撮影をおえて浮上してくる時はもっと流されている筈（はず）だから、アームの船にそっちの方で待っていてもらいたい、という合図だった。

アームは潮の流れていく先を見ながらゆっくりとうなずき、同じように親指を船尾の先の方に向けてみせた。いつの間にかもう片一方の手にコーラの入ったポケット瓶を持っているのが見えた。

私は潜水ジャケットの中の空気を抜き、素早く私の仕事場にむかった。

アマドマの捨石、と呼ばれるそのあたりは、長さも幅も三、四メートルはありそうな尖（とが）った岩がごろごろころがっていた。まるで自然のテトラポットをこのあたり一帯に集めたような風景だった。

赤い縞模様をひらひらさせて、ベラが私の行く手前を横切っていった。

小魚の群が沈黙の編隊を組み、ところどころで一斉に方向を変えて泳いでいた。ショウガサンゴはすぐ見つかった。まるで振袖をふり回して踊っているような泳ぎ方をする巨大なチョウチョウウオがサンゴのまわりをのんびり舞っている。

サンゴの下の岩に右のフィンをひっかけ、体を安定させてから、ストロボの角度を調節した。ニコノスの中にはＡＳＡ六四のリバーサルフィルムが入っている。水深十五メートルといっても、午後になって角度のついた太陽の光は、そのあたりではあまり有効な力を持っていなかった。

二十枚ほど撮ると、もうこのサンゴのあらゆる位置からの状態を撮りつくした。この時期のポリプの生成過程をきっちり記録すればいいだけで、なにか芸術的な意図でこの生物を表現するというわけではないので、仕事としては単純でつまらなかった。

残った十数枚のフィルムで、足もとをさらうようにして、海の中のうねりに揺れているアマモを撮影した。アマモがうねりに揺れているのを見ていると、草原の草が風に激しく右に左に揺れ動いている風景を連想した。アマモの中に黄色や青色をした派手な模様の小魚が、じっと様子をうかがいながら鰭をせわしなく動かしているのが見えた。

なんとか三十枚のフィルムを撮りおえ、残圧計を見ると、三分の二ほどの空気を使い終っていた。

全体の風景はあまり変っていなかったが、ショウガサンゴの撮影がすんだあと、あちこち動き回りながら残りの写真を撮っていたので、海の中をいくらか流されている筈だった。

くるりと体を反転させ、鈍く光る海面を見上げてみたが、フネの存在を知らせる頭上の黒い影は何も見えなかった。

私はそのまま海流にさからわないようにしてゆっくり浮上していった。私を遊び半分に追って不恰好(ぶかっこう)に下くちびるをつきだしたアオブダイが、ゆっくり同じ方に泳いでいた。

金色の泡をつきぬけて、私は海面に浮上した。

船の姿は見えなかった。うねりや波にかくれて見えないのかと思ったが、うねりの背にのると水平線と岩崖が見え、そのほかには何にも見えなかった。私はスタビライディングジャケットにタンクのエアを送り、体の上半身を浮力で固めた。

レギュレーターを口からはずし、海の上の潮くさい空気を吸った。それからうねりの上に自分の体が乗るのを待って、ゆっくり体を回転させてみた。やはり私のまわりには、水平線と、波が砕けて当る岩の崖しか見えなかった。

水中に潜っているうちに早い潮にのってしまって、思いがけないほど遠くまで流されてしまったのだろうか、と思ったが、ぐるりと回った私の目の前百メートルほどのところに特徴あるアギの鼻の突端が見えた。

秋のはじめの午後の陽は、私が海の底に潜っている間に急速に傾きを増したような気がした。

何かとんでもないアクシデントが浜の方であって、その無線を聞いたアームが、すぐ戻ってくるつもりで大急ぎで栈橋へ向ったのではないか、というようなことを、ぼんやり考えた。それからあのアブタ丸には無線がついていただろうか、と考えてみた。無線をつけているフネは、たえず、どこからかの声が入ってきていて、操舵室のあたりはいつも大変うるさい、ということを私はいくつかの漁船に乗った経験から知っていた。

さっき海に飛び込む前に微速前進していたとき、海のざわめきが耳のまわりにすき通るように聞こえていたことをすぐに思いだし、私は波の中ですこし眼をつぶった。眼をつぶると浮遊感がつのり、自分ではわからなかったが、海面をかなりのスピードで流されているのであろう、ということに思いがめぐった。

私はアームの顔を頭の中に思いうかべようとした。しかし、どういうわけか、あまりやつの顔を明確に思いだすことができなかった。顔を思いうかべようとする前に、コーラの入っているウイスキーのポケット瓶が眼の前にチラついて、アームの顔つきというのがそのうしろでぼやけてしまった。

なぜやつの顔をうまく思いだせないのか、ということを考えようとした。ふいに私は水の中で自分の胃のあたりが重くなるのを感じた。

あのアームという男は、話をするとき、けっして私の顔を見ようとしなかった。桟橋の上でも、船の上でも、やつはいろいろと話しかけてきたのだが、よく考えると、いつもとんでもなくソッポをむいて喋（しゃべ）っていたような気がするのだ。コーラの入ったポケット瓶をあおりながら、やつはいつも空を眺めたり、沖の方を眺めたりしながら喋っていた。

あの眼のそらせ方はいったい何だったのだろう、と私は体の内側がすこしずつ熱くなっていくのを感じながら考えていた。

それから、船の上に残してきた私の荷物や、車の中に置いてきた所持金のことなどに思いをめぐらせた。しかしその考えはすぐ中断させた。人を殺してまで奪いたくなるようなものは何もないのだ。

百メートルほど先の岩の崖の下で、大きな波濤が砕ける音が聞こえた。あそこまで泳いでいっても波に打ちつけられて絶対に岩の上にのぼることはできない、ということを、私はこれまでの経験から知っていた。

いったい何がおきたのかさっぱりわからないが、とにかく一番いいのは、こうして何もしないでただ潮にのって流されていくことなのだ。何があったのかわからないが、こうして流されていけば、必ずなんらかの方法でフネが捜しにやってくる、というダイビングの世界のあたり前のルールに私は無理やり全身をまかせることにした。

漂流とか、死の問題に思いをめぐらすのは、もっとずっと先のことなのだ。

しかし、体の内側はますます熱くなり、胃の底の方がさらに重くなっていくことまで意識から遠のけることはむずかしかった。体の内側はあついが、ウェットスーツのすこし内側がじんわりと重くつめたくなってきているのがわかった。

そのまま流れ続けて二時間ぐらいたった頃、私はついに待望の音を聞いた。うねりと波のむこうに、エンジンの音が聞こえたのだ。波の上で身体を激しく回転させ、船の姿を捜した。すでに相当流されているらしく、あたりの風景はずいぶん変っていた。アギの鼻はもう認められず、岸から五、六キロぐらい離れたところをかなりの早さで流されているようだった。

船は大きなうねりのむこうからふいに姿をあらわした。まだだいぶ遠いが、鋭く波を裂いて、たしかにこちらに向ってくるようだった。

通りがかりの漁船がかならずある筈だ。どんな船でもいい、と思っていたのだ。しかし波の間にただよっている人間の姿など、漁船の上からはよほどのことがないと見えやしない、ということも私はよく知っていた。たすかるのはただひとつ、運しだいなのだ。私の運はうまく回転しているようだった。船はまっすぐに私の方向にすすんでくるのだ。ふと、もしかすると、あの船はアブタ丸かもしれない、と思った。遠目ではアブタ丸の特徴ある弓なりのマストによく似ていた。まだはっきりと読むことはできないが、海面から、見おぼえのある英語とローマ字で書かれているスーパーシップ・アブタらしい長い文字が見えた。

アブタ丸は、私に二十メートルほど近づいたところでエンジンを低速に切りかえた。操舵室から、大男が一人出てきて、私に軽く手を振った。距離があったが、それはアームとは違う人間だった。

というよりも、人間とすこし違うようなかんじだった。人間にしては頭が異様に巨大なのである。逆光なのではっきりとはわからないのだが、頭の上にツノのようなものが生えているようでもあった。

幻覚にしてはあたりの風景と、自分の体の熱さやつめたさがあまりにもリアルでありすぎた。

私はまたうねりの中で自分の体を回転させ、ゆっくり上下に揺れる南の水平線と、岩の崖と、目の前のアブタ丸を眺め直した。

アブタ丸はいらつくほどの低速で私に接近してきた。そして私は水の中から、アブタ丸の上に乗っているのが、人間ではないことをはっきり見ることができた。

そいつは狼だった。ツノのように見えたのは長い耳だったのである。灰色のトレーナーを着た狼は、うねりの中で憔悴しかかっている私の顔を見つめて、

「ひゃっはあ……」

と言った。

男は大きな狼の仮面を、頭からすっぽりかぶっていた。パーティなどでいたずら用に使う怪物の仮面で、そういうのが前に流行ったっけなあ、というのを、私は海の中でぼんやり考えていた。

「ひゃっはあ……」

と、男は狼の仮面の下でもう一度言った。舷側からアルミ製の梯子がおろされ、私はそのふちにつかまると、すこしそのままうねりの中で上下した。それから力をためて、片足ずつフィンを取りはずし、甲板の上に放り投げた。タンクを背負ったまま、ゆっくり梯子をあがった。船がうねりで激しく上下するので、二度ほど足をすべらせたが、なんとかしがみつくようにしてよじのぼり、ようやく、甲板に座りこんだ。波に浮かんでいただけだから何も力を使っていなかった筈なのだが、四時間近い漂流で手足の力がいつの間にか萎えてしまっていたのだ。

狼男がうしろに回って空気タンクをはずしてくれた。海面から見たときに直感的に思ったのだが、狼男は体つきとその気配がアームとは別人らしい、ということがわかった。

「ひゃっはあ……」

と狼男はさっきとまた同じことを言った。

「なんでそんなものかぶってる？」

と私はひくい声で言った。手足の力がもとに戻っていたら、私は有無を言わさずとびついていって、狼男の仮面を引き剝がすだろう、と思った。

「まあそのうちわかるよ」

と狼男は言った。

「どっちみち、このままじゃすまないぜ」

と私は言った。

「警察へ行っても証拠なんてなんにもないからさ、なんにもならないぜ。誰も死ななかったし……」

狼男はそう言って、ゆっくりその仮面をとってみせた。

駅前のダイビングショップのマスターが、すこし血走った眼でこっちを見ていた。いつの間にか片手に魚突き用のヤスを握っていた。それで何かする、というわけではなくて、いきり立った私が飛びかかってくるときのための用心なのだろう。

「なんのためだ？」

と私は言った。

「ま、あそびだあ」

と、ダイビングショップの男が言った。

「何時間流れても潮すじ追っていけばかならず見つかるからな。危険はねえよ。おれたち、まあな、まいにち退屈だからな……」

「やっぱりおれは警察にいく……」

私はすこし咳(せき)こみながら言った。

「まっ、だめだろうな、アームはおれの弟だし、二人で絶対に口裏合わせるからな。いいじゃねえか。死ななかったんだし。金はいらないってよ」

男はそう言って、なんだか困ったように顎(あご)の下を掻(か)いた。

「それによ、アームのやつは病気なんだよ。ちょっとわけがあってな」

私は甲板にあおむけにたおれ、空を眺めた。それから、そーか、やっぱり病気かあ。病気じゃあしょうがないかなあ。私は夕方近い空の高みを眺めながら、アームの顔をもう一度思い出そうとした。でもうまくいかず、人の顔を思いだそうとするのもけっこうエネルギーを使うものなのだなあ、などということをそのままの姿勢でいつまでも考えていた。

コッポラコートの私小説

その年の冬、ぼくは唐突に「ノイローゼ」というものになってしまった。はじめ自分ではよくわからなかったけれど、さぐっていくとその原因はいろいろあって、とてもひと口では書けない……なんていうといくらかサマになるのだが、ぼくの場合はあまりにも単純すぎて恥ずかしいので、その理由はとても書けない。書くとまたノイローゼになってしまいそうだ。

しかしとにかくそれまで病気らしい病気をしたことがなかったので、このノイローゼというのになった時はちょっとびっくりした。冬のさなかで、ぼくはアメ横で買った一着二千八百円のやたらに袖(そで)と丈の長い、つまりまあ早い話がダブダブのコッポラコートをだらんと着て、青白い顔をしつつぼおーっと本の雑誌社に顔を出していたのだ。

本の雑誌社というのはぼくと三人の仲間でつくった書評雑誌の出版社で、地下鉄丸ノ内線の四谷三丁目駅のすぐ上にあった。

ビルの名前は慶和ビルといって名前だけはイッチョマエなのだが、駅のすぐ上のその界わいでは一等地ともいうべき土地に無理やり建てた地上七階建のオセンベのように薄べったいビルで、必然的に各階にある部屋も狭くて細長い、一種の異常的スペースなのであった。本の雑誌社はそのビルの五階にあった。

そして建坪は五坪。といっても便所と流し台、それに何故(なぜ)かタタミ半帖(はんじょう)分(ぶん)のシャワー室というのを含めての五坪なので、居住スペースはタタミに換算するとせいぜい四帖半といった程度なのであった。しかもそこにスチール製の本箱二、スチール机一、ソファー一、丸椅子五、小テーブル一といったものがあきらかに必要以上の分量でどおーんと放り込まれていたので、中に入ると本当に狭くるしい部屋なのであった。しかもたったひとつだけついている窓は部屋のスペースにくらべるとやはり異常に小さく、夕方頃にちょっと部屋の電気をつけ忘れていると、外の明るさにくらべるといささか絶望的に部屋の中が暗くなってしまうのだった。さらにこの窓をあけると、窓の下は垂直にストンと下の通りまで何もなくて、ちょっと高所恐怖症気味の人が予備知識なしにのぞいたりすると頭のうしろ側が瞬間的にクラッときてしまうぐらいの唐突さなのであった。

どうしてこんなふうにヘンテコな部屋を借りてしまったか、というとそれはとにかく一にも二にも安かったからである。

その本の雑誌社というのは、ぼくと三人の仲間たちが等分に金を出しあって作ったのだが、ほとんど利益をあげていく、という見込みも展望もなしに、なんとなく作ってしまったという会社なので、家賃とたった一人いる事務員の給料を払うと、もうすべて予備金が〇、という感動的なまでに脆弱な体質を誰の目にもあらわにしていたのである。

そのたった一人の事務員というのは島田さなえという名の二十六歳の独身女性であった。小柄だが性格の基本的なところがしっかりしているので、一人社員ながら、きちんとその会社の諸事雑務を切り回していた。

　この島田さなえが本の雑誌社に入った顚末というのがすこしふるっていて、そのことをすこし書いておく必要がある。

　その頃ぼくはサラリーマンをやっており、仕事は流通関係の業界誌の編集長だった。会社は銀座にあって三十七人の社員がいた。

　あるときその会社がデパートのお客さんを対象にしたお買物の新しいPR新聞をつくることになった。その会社の三十七人の社員は男が多く、わずかに女と呼べる女性は経理を担当する部署に三人いたが、みんな女というよりもオバチャンといった方がわかりやすく、ひとことでいうと男ばかりがなぜか妙に血走った眼つきをして右往左往している、というまことに意味もなくサツバツとした会社なのでもあった。

　ところが、このお買物のPR新聞をつくるにあたって、若い女性を編集部員として募集しよう、ということになったのだ。

　この画期的な方針を打ち出したのは野々宮という専務で、

「やっぱりこれからはこういうものの編集センスは若い女性でないと無理だと思うのですよ、ねえそうでしょう社長、きっとそうですよはふはふはふ」

　などと赤い歯グキを見せながらあやしく笑って言ったのだ。

「そうかな、フム、なるほど、そうかもしれないなあ」

と、社長もすこし笑って言い、その会社にとっては初めての若い女性社員の募集が決定されたのだった。

朝日新聞に載せた求人広告は【求ム女性編集者。新しいPR紙発刊、当社銀座通りに面した明るい会社、委細面談歴送れ】というようなものであった。

新しい、とか、明るい、といったことを無闇に強調しているところとか、仕事内容とは直接かかわりのない「銀座通りに面したビルである」といったことを記してあるのが、よく考えるといささか異常であった。

というのも、実際には業界紙なんていうのは、やっている仕事も基本的には暗いものであったし、その会社に勤めている男ばかりの社員もなんとなくみんなブンガク青年くずれといった気配をただよわせて、暗くうつむきかげんの連中が多かったのだ。

だから求人担当の野々宮専務は、問われてもいないのにやたらに「新しい」とか「明るい」といったことを、その求人広告の中に書いてしまったようなのであった。

この野々宮という男は女のようにふにゃふにゃした歩き方をして、よくガムを噛んでいた。そうして会社の中で人事とか総務とか経理とかいったたぐいの仕事をしていたが、大会社とちがってそんなに沢山やることがあるわけでもないので、いつも社員が取材で使った経費などをこまかく計算し直したりしてゴマカシがないかどうかカメレオン化した眼で調べ、カシャカシャと計算機をはじいていた。

さてこのあやしい求人広告だが、おどろいたことに百六十通もの応募があったのだ。「新しい」とか「明るい」とかあるいは「銀座通りに面したビル」というのが効を奏したのか、あるいは時期的にちょうどうまくタイミングが合っていたからなのか、その理由はよくわからなかったが、経営者たちはこの意外なりゆきに目を見張った。とくによろこんだのは野々宮専務であった。

それまでその会社では編集者や営業社員が会社をやめるとすぐに補充社員を新聞広告で募集した。もちろんこの場合は男のみの募集である。するとそういう募集に集ってくるのは多くて十人、ひどいときは二、三人のどういうわけかたいていいつも果てしなく暗い眼をした男たちばかりであった。

「すごいですよ社長！　なんと百六十人ですよ。わが社始っていらいのことですよ。うまくいきましたよはふはふはふ」

と、野々宮専務はよろこびをあからさまにしながら社長に報告した。

人事も担当している野々宮専務がとにかくうれしがったのは、沢山の応募があったことで、その会社始って以来の「書類選考」ができる、ということも大きかった。彼は大会社のように一度はこういう「書類選考」というのをやってみたい、と前々から思っていたのだ。

「どうやって選考しようか」

と、野々宮はぼくに相談してきた。一応ぼくはその会社では編集長なので、いわゆる経営幹部に属していたからそういう相談を受けたりもするのだが、しかし野々宮は他の主だった古株社員たちみんなにも同じことを言って歩いているようであった。とにかく彼は自分の手で若い女性の身柄をいろいろといじくれる（といっても履歴書だけの話だけど）、というのがうれしくてたまらないようなのであった。

しかし、よく考えるとそういう書類選考というのを今まで一度もやったことはなかったので、野々宮は履歴書を選別する、といってもいったいどんなことを何を基準にして選別していけばいいのか、ということがわからなかった。履歴書に貼ってある顔写真を見て、好みの顔をしているのを選んでいく、というのが一番わかりやすいわけだったが、キャバレーの女給を募っているわけではないのだから、いくら女好きの野々宮専務といってもそういうわけにもいくまい、と思っていたようであった。

しかしそこで野々宮が考えた書類選考の基準というのがきわめて奇抜であった。

彼は会社がある銀座八丁目を起点にして応募者の住所が会社から遠い順にハズしていったのである。

ウソみたいな話だけれど、私小説なんだから本当のことなのである。今思えばじつに無邪気というか、なんとまあ応募者をバカにしているというか（こういう選定をするんなら募集要項に遠い所に住んでいる人は不可などときちんと書くべきだものな）、いろいろとおどろくべき話なのだが、当時はぼくにもまだそのへんのことがわからなかった。

遠い所に住んでいる人は通勤手当がかさむわけだから、「ああ、そういう選別のしかたもあるのか……」などとぼんやり眺(なが)めていたのである。

早速大はりきりの野々宮専務によって距離別当落審査が始った。小田急線のずっと奥とか湘南(しょうなん)の先とか中央線の先の方といったところに住んでいる人はどんどん落されていった。しかしこういう作業が決定的にすこしおかしかったのは、すべての住所をきちんと調べて交通時間に直して判断する、というのではなく、野々宮が勝手にそのあたりのことを判断していく、というだけなのであった。しかも野々宮の住んでいるところは千葉だったので、すべての東京近郊の地名がわかる、というわけでもない。自分の知らない地名があると、「あっ、こいつダメ！」などと言って落してしまうのであった。

そうした落選組の中の一通に、西武線の東伏見(ひがしふしみ)に住んでいる女性の履歴書があった。東伏見といったら新宿からわずか二十分、銀座にある会社まで一時間そこそこで着いてしまう、という距離であった。千葉に住んでいる野々宮のところよりもよっぽど近いのであるが、東伏見を知らない野々宮はそれを「ダメ！」などと言って落してしまったのである。

そのとき、ぼくはその履歴書の中の「応募動機」というところを何気なく眺めて目を見張った。

履歴書の「応募動機」の欄などというのはたいてい一緒についている「正しい履歴書の書き方」などというのを参考にして、ろくによく知りもしないくせに「貴社の業務内容が自己の性格に最適」などとあたりさわりのないことが書かれているものだ。

ところがその東伏見の女性のそこには「椎名さんが編集している『本の雑誌』をよく読んでいるから」などということが書かれていたのだ。

これにはすこしおどろいた。何故ならその頃、ぼくの正統的な仕事はその会社で出している業界雑誌の編集長であって、それとは別に仲間たちと書評の専門誌を出している、ということは会社の上役たちには内緒にしていたからである。

「あ、いかんいかん、こういうこと書いちゃいかん」と、ぼくは履歴書を眺めながら思った。しかしぼくたちがつくっているまだあまり売れてもいない書評誌を読んでくれているという感心な女性を、あきらかに間違いと思われるような選考基準で落してしまっている、ということが悲しかった。しかしその女性の履歴書をあえて浮上させるとすると、上役たちにその「応募動機」の項目を読まれてしまう、という可能性が大きい。

フクザツな気持であった。

そこでぼくは「本の雑誌」を一緒に作っている仲間のうち、とくに一番中心的になってやっている目黒考二に電話をした。なんとなく同人誌のような雰囲気でぼんやり始めた雑誌だったが、号を重ねるにつれてすこしずつ売れるようになってきており、目黒考二は、きちんとした編集室をつくって日常の電話を受けることができる人間を一人確保できれば、もっとこの仕事がしっかりと伸びていくに違いない、という展望をもっていた。

「安い給料でそういう仕事をやってくれる女の人なんていうのはいないものだろうか。どこかの金持ちの娘で小遣は沢山あるから給料なんてあんまりいらないけど、ヒマだから毎日どこかの事務所で電話番をしたい、なんて思っている女性というのがどこかにいないだろうか……」などと、目黒考二はよくばかげたことを言っていた。

「この東伏見の女性はどうだろうか？」

と、そのとき、ぼくは考えたのである。履歴書だけではどんな人なのかまったくわからなかったが、少なくともその人はいま新しい仕事を求めようとしており、そして「本の雑誌」のことを愛している女性ということはたしかである。

この女性に会ってみようか、とぼくは思った。どうして、全然別の会社で全然別の雑誌をつくっているぼくが本の雑誌をつくっている、ということを知っているのか——そのことも聞いてみたい気がする。

ぼくは目黒考二に電話をした。

「ちょっと知らせたいことがあるんだ」

と、ぼくはすこしヒミツめいたひくい声でそう言った。

東伏見の女性は島田さなえという名前であった。広告代理店に勤めているので六時以降でないと会えませんが……と、その女性はおだやかなよく通る声でぼくの電話にそう答えた。

新宿の伊勢丹の角で午後六時に待ち合わせをした。島田さなえは時間通りに地下鉄の階段を昇ってきた。小柄で色の白いおとなしそうな女性だった。五月人形のように切れ長の目のすぐ上までフワリと髪の毛がかぶさっていた。

伊勢丹のヨコにある立ちのみワインパブで話をした。

応募した会社は東伏見という場所を上役が知らないために書類選考で落されました、などということはちょっと言えなかったので、「残念ながら条件に合わなくて……」と、ぼくは言った。彼女のところには会社からもう不採用通知がとどいているはずであった。

「きっと駄目(だめ)だろうと思っていましたので……」と、島田さなえはすこし笑いながら言った。

ぼくはワインをごくりとのみ、用件を話しはじめた。

「まだ会社になっていなくて、事務所も決まってはいないんです。事務所を決めるにしても、とりあえずヒトが決まらないとどうしようもないものですから……」

と、ぼくは言った。

「やらせて下さい」

と、島田さなえはいきなり言った。給料とか条件といったものをまだほとんど話していない段階だった。

「ええ、あの……」

と、ぼくは口ごもった。

「ええ、あの、しかしあの給料がものすごく安いのです。めっちゃくちゃに安いのです。もう信じられないくらい安くてぼくも信じられないほどなのです」

と、ぼくは言った。

「いいです。その仕事ぜひやらせて下さい」

と、島田さなえは眼をかがやかせながら言った。その瞬間にぼくはこの娘はもしかするとバカなのではないだろうか、と思った。しかしバカにしては眼の輝きがきっぱりとしすぎている。

「あの、しかしさっきも言ったように本の雑誌社といってもまだ法律上の会社にもなっていないし、事務所もないし、それから果して会社になったとしても果してちゃんとやっていけるかどうかボーナスも出るかどうか、果して年をこせるかどうか、ちょっと間違うとすぐつぶれてしまうような気がするし、いやきっとつぶれるんじゃないかという気が……」

「やらせて下さい」

と、島田さなえはきっぱりと言った。ぼくは自分で言っておきながら完全に逃げ腰になっていた。よく考えると、一人の人間の生活を面倒見ていく、という自信はまるでなかったのだ。えらいことを言ってしまった……と、ぼくは三杯目のジョッキのワインをのみながらぼんやり考えつづけた。

具体的にどうやっていくか、ということはすべて目黒考二にゆだねた。彼はぼくよりももっとしっかりした展望と、そしてそれにともなうかなり高い確率での破綻（はたん）の可能性といったものをつかんでいた。いま事務所を設け、一人の人間を雇ったとするとその人にいくら払えるか、ということも具体的に考えることができた。目黒考二がまた島田さなえを徹底的におどかした。明日入社しても翌週つぶれるかもしれない、ということを具体的な数字を示して話したりもした。

しかし島田さなえはそれでも「やらせて下さい」と言った。目黒が提示した給料は四万円だった。その頃の普通の会社の女性の給料のレベルの半分だった。朝十時から六時まで、社員はとにかくあなた一人しかいないのだから外出することもできない。その会社をつくっているのは外に別の仕事をもつ仲間たちだから、基本的に異常な目つきをした男がいつどんなふうにやってきて何を言うかわからない——等々と、目黒考二はまったく笑わない目と顔で言った。

「いいです、やらせて下さい」

と、島田さなえは言った。

彼女は大金持ちの娘ではなく、東伏見で母と二人で暮らしているいたってつつましい生活の女性であった。

書き忘れたが、なぜ彼女が流通業界誌の編集長というもうひとつのぼくの顔を知っていたか、というと、つとめている広告代理店でぼくが編集長をやっている業界誌を読んでいて、そこに書いている文章からかならずや同一人物に違いあるまい、と推定したのだ、という話であった。

さて話はノイローゼになってコッポラコートをだらんと着たまま四谷三丁目の慶和ビル五階、本の雑誌社にぼくがぼうーっと入っていった、というところにつながる。

島田さなえが本の雑誌社のたった一人社員になって半年目になっていた。島田さなえはそのあいだ無遅刻無欠勤であった。

冬のさなかだった。コンクリートの牢屋のような本の雑誌社には三百ワットの電気ストーブ一個しかなかったので、外の寒さとあまり変らなかった。

ひとつしかない小さな窓の硝子を通して外の騒音がそのまま聞こえてきていた。窓のすぐ下は四谷三丁目の交叉点で、ここのすぐそばには青楓チェーンや丸正ストアといったスーパーや消防署があり、呼び込みの音楽とか救急車のサイレンとか右翼の宣伝カーの凶悪軍歌とか、そういったものがいつもぐわぐわとこんがらがってこの部屋の中まで聞こえてきた。

島田さなえはこの部屋のスチール製の机に向って膝の上にナショナルの電気毛布をかけ、救急車のサイレンの音の中で静かにふるえながら仕事をしていた。

「お茶でよろしいですか？」

と、島田さなえはぼくの顔を見るとやわらかく笑いながら言った。

「なんでもいいやあ、あってもいいし、なくてもいいやあ、さむいやあ」

と、ぼくはヤギのような声を出して言った。ノイローゼになってしまったので何を考えるのも億劫であり、何をするのも面倒であった。食欲もなかったし、のどもかわかなかったし、気持の奥の方がなにかいつもひたすら悲しかった。

本当はその日、ぼくは銀座の会社で自分のやっている業界雑誌の仕事をしなければならなかった。しかしそういうこともまったく何もやる気にならず、会社に行っても、「オレはノイローゼになってしまったので仕事する能力も勇気も根性もなくなってしまったから何もやらないでボーッとしているよ」と仕事仲間に言ったのだ。

すると編集次長に菊池仁という男がいて、この人も本の雑誌に原稿を書いているメンバーの一人なのであった。しかしぼくよりも基本的に十五倍ぐらい能力があったので、ぼくが「オレ仕事やらないよもう……」と言うと、「ああ、いいですよ」とこともなげに言うのである。

そのコトバの裏にはあきらかに「ああいいよ、どうせ普段だって何もしていないんだから……」というあざけりのココロ30%、部下が上司をおとしめるココロ40%、忙しいんだからノイローゼ男などとにかくあっちへ行っていろ、のココロ20%、その他のココロ10%、といったものが含有されているのだ、きっとそうだ。そうに違いないのだ、それしか考えられないのだ、とぼくはヤギ眼をしたままそう考えた。

だってそうではないか、およそサラリーマン社会で、上司が部下に「仕事やるのやんなっちゃった」と言ったとき、部下はおせじでも「あっ、それは困ります。そんなことされてはいけません、我々がロトーに迷ってしまいます。いけません。頑張って下さい！」とかなんとか言うのが普通ではあるまいか。

ところが菊池仁は「ああ、いいよ」と言って、こちらの顔も見ずに赤川次郎の『三毛猫ホームズの冒険』を読んでいるのである。読みながら弁当のあとの楊子をつかっているのである。三毛猫ホームズは許せるが楊子は許せない、どうして楊子だと許せないんですか、と言われても許せない！　許せないったら許せない！　とぼくはヤギ眼で力なく菊池仁をにらみながら思った。

そこで「あのねえ君、いまの君の態度についてだけどねえ」と言いつつ、菊池仁に激しく上司風を吹かせようと思ったのだが、しかし悲しいことにぼくはノイローゼなのであった。ノイローゼの人はそういう場合、「あっ、どうもすまないね。迷惑かけてすまないね、ホントにすまないね……」などと弱々しく言いつつ舞台下手の方に消えていくものなのである。

そこで仕方なくぼくは社員の外出先を書き記す黒板に「新宿方面、打ち合わせその他、帰社予定五時」と嘘の項目を書いて、銀座の会社を出たのであった。

出かけようとしたときに便所から出てきた野々宮専務と顔が合った。野々宮専務がぼくの顔を見ると「どこへ行くんだ、あんまり会社の仕事さぼるんじゃないぞ」というような顔をして鼻の下を右手で素早く左右にこすっていたのを思いだしながら、島田さなえの入れてくれたあつい番茶をのみ、ぼくは「うーさむい」と思った。

それから「さむいねえー」と島田さなえに言った。

「じっとしていると身にしみてきます」

と、島田さなえは言った。

あまり寒いのでぼくはコッポラコートを脱がずに、かえってコートの衿をたててじっと椅子の中にうずくまり個人的にしばらく静止状態に入った。

コッポラコートというのは島田さなえがつけた名前で、本当はただ単に二千八百円の米軍の払い下げのコートでしかないのだ。しかしこの頃、とにかくぼくは本当に何をする気力もなく、しようがないので映画ぐらいなら見ていられるか、というようなかんじでフランシス・コッポラの『地獄の黙示録』を有楽座に見に行ったのである。ところがあの映画はじつに基本的に陰々滅々としていて、かえってノイローゼの身にはかなりこたえたのである。愛とか死とか善とか悪とか白とか黒とか罪とかヨロコビとか、およそふだんあまり考えてもみないようなことを、いちどきにどっとなんだかよくわからないお話の中で考えなければならないような気分になってしまった。そこで、ああ困ったなあ、こういうのは困ったなあ、と言いながらその軍用コートの中に身をうずめて、じーっと静かにネトつく視線でその映画を見つめていたのだ――そういういまのオレの身にははなはだしく精神的によくない映画であったのだよ、だからオレはこのダブダブのコートの中に身体をうずめて有楽座のK―三十七番の席でじっとしていたのだよ、と翌日、島田さなえに言ったのである。するとその日から彼女はそのダブダブのコートをコッポラコートと名づけるようになったのである。

部屋の中には相変らず外のやかましい音が遠慮なく飛び込んできていた。青楓チェーンのあたりからしきりにジングルベルの音が聞こえ、そのあい間をぬってガンガンガンと、なにか正体不明のけたたましい音がひびいていた。

ぼくはなんとなく無意味に立上り、なんの目的もなく、小さな窓をあけてみた。間もなくクリスマスをむかえようとしている街の喧騒がワッといちどきにもっと大きな音のカタマリになって狭い部屋の中に飛び込んできた。

ぼくはつめたい風の中に顔をさらし、通りをへだてた向い側の、やはり慶和ビルと同じように小さくて細長いビルを眺めた。そこは雑居ビルで一階ごとにまったく違った会社が入っているので、五階の窓から見るとその風景はそれぞれがなにか不思議な次元の断層のように別々の世界になって見えた。

一階は喫茶店で中は見えなかったが、二階はいつもワイシャツ姿の男たちがうろうろしている不動産屋で、三階は機械か何かの設計事務所のようであった。こちらの窓に向って大きな製図机が二つ並んで置かれてあった。そうしてその机の片一方に男、もう片方に女がすわっており、二人は机の上に覆いかぶさるようにして毎日熱心に図面を引いているのだった。

この製図会社の上がダンス教室になっていて、そこでは毎日いろんな人がくるくるとすべるようにして踊っていた。窓の外に「ソシアルダンス教室」と書いてあった。

しかし慶和ビルの五階の窓から見えるダンス教室は斜め下の角度になっているので、そこでくるくると踊っている人の腰から下の半分しか見えなかった。ダンスはいつも男と女のペアで、窓ぎわにきてくるりと女が回ると、大きくて広いフレアスカートがふわりと花のように広がって見えるのだった。

ぼくはしかしそのダンス教室で踊っている人々を見るといつもなんとなくその人々に反感をもってしまった。それというのも、ダンス教室のすぐ下が製図屋さんなので、一所懸命に図面をひいている二人の男女の頭のすぐ上で、腰から下だけの男女が、くるくると踊り回っている、というのは、なんとなく腹立たしい風景であったからだ。

だからぼくはその小窓のところに島田さなえを呼んでおしえてやったのだ。

「ほら、あそこのビルで男と女が踊っているのが見えるだろう。顔は見えないけれど、あの男のはいているカカトのとんがった靴を見てごらん」

と、ぼくは言った。

「はあ、いますね、あの黒のズボンですね」

島田さなえは何事を話すのだろうか、といくらかいぶかしげな顔つきをして、向いのビルのソシアルダンス教室とぼくの顔を交互に見つめた。

「ああいうね、男のくせにああいうカカトのとんがっている靴をはいているニンゲンというのは、たいていくちびるの薄いにやけたいやな男なのです。だからああいうカカトの靴をはいた男は注意しなければいけないよ」

と、ぼくは言った。

島田さなえは黙ってうなずき、それからすこしあいまいな顔をして笑った。

さてぼくはその頃、とにかくそんなふうにして、日がな一日背中を丸めてぼうーっとして、銀座にある会社と四谷三丁目の本の雑誌社に出たり入ったりしていたのである。そうしておそろしいことにその頃ぼくの唯一(ゆいいつ)の楽しみといったら週に二回、国電千駄(せんだ)ヶ谷(や)の駅近くにある代々木病院神経科の主任医師中沢正夫先生のところに行くことであった。

もっともそこへ行ったとしてもとくになにかとても面白いものがあるというわけでなく、まあ早い話が中沢先生に会っていろいろと話をするのが楽しい、というだけだったのである。しかしかといってその中沢先生がかくべつ面白い先生であるというわけでもなく、その診察がとくに感動的にムネに迫る、というようなわけでもなかった。つまり、別にそこに行ってもどうということもなかったのである。しかしそこのところがノイローゼのノイローゼたるところで、とにかくコッポラコートを着て基本的にはぼおーっとしているぼくは、代々木病院に行って中沢先生と話をすると、限りなく心がやすらぐような気がしたのである。

中沢先生は医学博士といっても四十五、六と若く、ちょっと前のテレビドラマによくでてきた人間的あたたかみ40％、クール20％、きびしさ20％、ズッコケ10％、その他10％というかんじの含有量をもつ人であった。

　そして、まずはじめにこの病院にきて、神経科という、そのカンバンを見ただけでいささか身のすくむような緊張感を最初にいくらかなごませたのが、その中沢先生のテーブルの横にあったマンガの本であったのだ。それは石森章太郎の『さんだらぼっち』であった。そのシリーズの単行本が二、三冊おいてあった。

「先生は、こういうマンガを見るのですか」と、その日、ぼくはコッポラコートを膝の上において中沢先生に聞いたのだ。

「ああ、これですか。これは面白いですね」と、中沢先生は言った。そしてすこしまじめな顔をして笑った。

　ぼくはちょっとだまり、それからなんだかずいぶん気分が楽になって、診察室の窓から外を見た。その日も寒く、朝からみぞれが降っていた。ほんのすこしの沈黙の中で、ふいにぼくはそういえばこのところずっと本らしい本は何も読んでいなかったな、マンガすら読まなかったな、と思った。読まなかったのではなくて気分が鬱屈して読めなかったのでもある。しかし、中沢先生の机の横にマンガの本がおいてあったのを見て、ぼくはその日からその病院に行くのがとても楽しいものになってしまった。

　ぼくがそのいささかやくたいもないノイローゼに陥ってしまった理由のひとつに、会社をやめて、つまりサラリーマンをやめて自由業になってしまいたい、という心の動揺も、潜在的なものとして含まれているようであった。しかしそういったことはその頃の自分にはまるでわからない。

ただなんとなく、銀座の会社に行って野々宮をはじめとするいささか話をしているだけで気分のぐったりしてくるような中小企業の経営者たちとそれ以上暮らしていると、自分の気分のまん中のあたりがどんどんくたびれきっていってしまうような気がした。

野々宮専務がそのおかしな書類選考で三分の一にしぼった女子社員の面接は、チビ会社のくせに生意気にも第三次面接まで行なわれ、選んだ女性は結局半年後にやめてしまった。

「まあね、いまどきの若い女の子っていうのは本当に無責任でしようがないよね。仕事が思ったほど面白くないからやめます、っていう理由なんだからねはふはふはふ」と、野々宮専務はインスタントコーヒーをのみながら意味もなく笑って見せた。

中沢先生と何度かいろいろ話をしているうちに季節が変っていった。冬は年をこし、しだいしだいにキチンと春めいてあたたかくなっていった。

三月になるすこし前に、ぼくは半年したら会社をやめよう、と自分の腹の中で決めた。やめる理由は、百六十人の中から選ばれて半年でやめていってしまった女の子のように、「仕事が思ったほど面白くなくなってきたから……」というようなものであった。しかしそのことは人事担当の野々宮専務にはまだ黙っていた。

会社をやめてしまおう、と決めた頃から、ぼくはようやくすこしずつ気持の底の方が軽くなってきているのを感じた。季節はどんどん春めいていき、本の雑誌社では島田さなえはいつの間にか電気毛布から解放されていた。そうしてぼくの方もいつの間にかあのダブダブで重いコッポラコートをぬいで歩くようになっていた。春になるすこし前に中沢先生は「もうこなくていいですよ」とぼくに言ったのだ。季節の冬とぼくの中の冬がなんだかちょうどうまい具合に歩調を合わせておわったようだな、とぼくは町を歩きながら一人でうなずき、確信したのだった。そうして会社をやめて、ぼくと仲間たちがつくった本の雑誌社の方に全力でとりくもう！　と、ぼくは思った。一人で頑張っている島田さなえのためにも、とにかくそうするのだ！　と、ぼくはやわらかくあたたかい早春の陽光の中で、なんとなくぎこちなく両肩に力を入れながら真剣にそう思った――のである。

ボールド山に風が吹く

ボールド山というちょっと奇妙な名前の山があった。山といっても高さが地上二十メートルぐらいの、むしろなだらかな台地といったほうがいいくらいのものであったが、一面に笹(ささ)や松の木がはえていて、子供の頃(ころ)はそこが恰好(かっこう)の遊び場だった。

その山の裾(すそ)を生真面目(きまじめ)になぞっていくようにして川が流れていた。川の名は花咲川といった。葦(あし)が密生した川幅二メートルほどの小さな流れで、そこから二キロほど下っていくと千葉の遠浅の海に出た。

このボールド山は今はもうなくなってしまった。私が小学校一年の時に、その川の源流にある沼を干拓するためのかなり大がかりな工事がはじまり、沼の水を海に流す運河がつくられた。運河はこのボールド山という台地のちょうどまん中あたりに直進してきて、ボールド山を二つに切り裂いてしまったのだ。

運河をつくるために削りとった大量の土砂と、ボールド山を切り裂いて得たおびただしい赤土はそっくりそのまま海に運ばれ、海はその土砂で埋め立てられた。

ボールド山を切り裂く工事は一年ほどかかった。すっぱりと切り崩されたボールド山の下を通って運河は一気に海まで伸びていくのか、と思ったとたんに工事は急に中断してしまった。それから一向に再開されるきざしのないまま一年がすぎ、私は小学校五年になっていた。

この話は、毎日のようにこの工事場に遊びに行っていたその頃の、あるときはおそろしいほど鮮明な、あるときはいらだたしいほどおぼろげな私の記憶の中の物語である。

1

ボールド山をまっぷたつに切り裂いて、ぐぉんぐぉんと力強く流れこんできた運河は、鉄橋の手前で止まったまま二度目の六月を迎えようとしていた。赤茶けた土の上で数台のブルドーザーは不機嫌に黙りこみ、頑なに口を閉ざしたサイレン塔はトンボの発着場だ。運河に沿って敷設された小さな軌道の上に連結のあたりを赤くざらざらに錆びさせたトロッコが並んでいた。その荷台のくぼみに油のまじった水が溜っており、そこに青黒い藻が浮かんでいるのを見たとき、ぼくはすっかり本格的に落胆してしまった。

工事中の頃の騒々しいエンジンの唸りや、いつもあたりの空気にたっぷり漂っていたガソリンの臭いがたまらなくなつかしかった。海まであとほんのわずか、というところまできてどうして急に工事が中断されてしまったのか、子供の自分たちにはよくわからなかったが、それでも相変らず毎日のように、ぼくは仲間たちとそこにやってきていたのだ。

その日も、学校がおわったあと、きいちゃんと工事現場に行った。きいちゃんは津金キヨシといって、当時、ぼくの家の二軒隣に住んでいたラッキョウ頭の少年だった。五厘に刈った坊主頭のうしろの方に小さなオタマジャクシ型のハゲがあったので、おたまのきい坊とも呼ばれていた。家が近いということもあって、その頃ぼくは毎日このきいちゃんと遊んでいたのだ。

ぼくたちは運河の横に積まれた大谷石の一番上にすわって、工事場をぼんやり眺めていた。尻の下の大谷石はもう一年以上もそこに積まれていたので、表面のあたりがすっかり風化し、ちょっと堅い木などでくじると、ぼろぼろこまかく砕けてしまった。ぼくはきいちゃんとこの大谷石のかけらを運河の中にどかどかとよく放り投げて遊んだ。流れがないのでよどんでひどく重く見える運河の中に、ぼくときいちゃんの投げる石はたいして飛沫もあげずに陰気にずぼずぼともぐり込んでいった。

国道を折れ、Ｕターンするようにして入ってくるこの工事現場への砂利道を、建設省のジープがまた今日もたった一台やってきて、工事事務所の壊れかかった門の中に消えていった。ジープの軋んでとまった音を聞いてから、「帰る!」ときいちゃんがとんがったような声で言った。何故だかわからないけれど、その日きいちゃんはずっと一人で怒っているようだった。それでぼくもなんとなく腹が立ってしまったので、そっぽをむいたまま黙って石を投げ続け、きいちゃんがガタガタせわしなく鞄の中のソロバンを鳴らして駆けていくのを見送りもしなかった。それから急いで大谷石からとび降りると、下に落ちている沢山の石のかけらをつかんで、駆けていくきいちゃんに聞こえるように、めちゃくちゃに運河の中に投げつけた。石はでたらめに広がって続けざまに波紋をつくったが、それでも運河はぼすぼすと面倒くさそうに、叩きつけられる石をみんな呑みこんでしまうので、あまり景気のいい音にはならなかった。

運河の工事が中止された理由をはっきりとは知らなかったけれど、ぼくたちは鉄橋の先にある朝鮮人村の立ち退きの問題や、建設省の汚職事件が原因だ、などという大人たちの話をいろいろ聞いていた。

三年間も休みなしにずっと続けられてきたこの運河の工事で、ぼくたちが最高に興奮したのは、ボールド山をまっぷたつに切り裂いていった頃だった。

最初はこの山のちょうどまん中のあたりに小さなトンネルがつくられた。トンネルにはすぐトロッコの線路がひかれ、そこから蟻の行列が巨大な菓子山にもぐりこんでいってたちまちガランドウにしてしまう、というような貪欲な力強さで赤土が掘り出され、今度はそのあとをパワーショベルの一群が土煙をあげて突進し、ぐわりぐわりと山の中に嚙み込んでいった。そうして半年もしないうちに、ボールド山はまん中からすっぱりと割られて日に日に幅を拡げ、ある時からどっとその下を運河が流れ込んでいったのだ。運河の幅は二十メートルほどで、両岸には車が通れるくらいの道がつくられていた。そうしてその上は赤土がむきだしになった六十度ぐらいの斜面となって、かつてのボールド山のてっぺんのあたりにのびていた。

「カボチャを切ったみたいだ」

はじめて、それを見た時きいちゃんは言った。ボールド山の松の木や笹の密生したすこしいびつな形の山の斜面をU字型にすっぱり切ると、その内側は本当にカボチャのような赤黄色の断面があらわになっていた。そしてところどころに散らばっている白っぽい人間の頭ぐらいの斑点(はんてん)はまるでカボチャの種のようであった。

立ち入り禁止になっているので、できたばかりの運河の方からそういう山の断層を見ることはできなかったが、すっぱりと削り取られてなんだかじつに頼りなくなってしまったかんじの半カケのボールド山にのぼると、工事現場の全体を眺めることができた。そしてそこはぼくたちにとってまことに魅力的な恐怖と感動の探険地帯というわけなのだった。

この半カケの山にのぼって遊んでいると、向い側にみえるもう片一方のボールド山の上に時々キネヤのばばあがぼんやり立っていることがあった。

ぼくたちはこのキネヤのばばあを見かけると、「わあっ、キネヤのばばあだ。目がくされる目がくされる……」と言って、両手で眼(め)のあたりをごしごしこすることにしていた。誰が一番はじめにやりだしたのかわからないが、いつの間にか子供らの中でそうすることがならわしになっていたのだ。

キネヤのばばあ——といってもそれは小学生の眼から見た「ばばあ」であって、今考えればはたちそこそこの若い女ではなかったかと思うのだが、気の毒なことにその女はあきらかに狂っていた。戦後まだ十年たつかたたないかの時期である。病気とわかっていても何の治療の手だてもなく親のそばにおいて勝手にさせておく、というような家がけっこう多かったのである。

キネヤのばばあの家は、ボールド山のむこう側にあって、植木や苗を売る大きな店をやっていた。キネヤというのはおそらくその店の屋号だったのだろう。

キネヤのばばあもぼくたちと同じように運河の工事を崖(がけ)の上から見物するのが大好きのようで、毎日夕方近くになるといつも浴衣(ゆかた)のようなものを風になびかせて、そのあたりにふらふらとやってくるのだ。

運河の工事が中断されて、ぼくたちはボールド山の上からではなく、工事人夫の誰もいない運河ぞいの道へ自由に入っていけるようになったが、キネヤのばばあは相変らず半カケのボールド山の上に立って、じっと運河を見おろしていることが多かった。

朝鮮人村の仔犬(こいぬ)がぼくらの町の中学生に後足を縛られて運河に放り投げられた時にも、キネヤのばばあはボールド山の崖の上からじっとそれを見つめていた。

ぼくたちは運河の岸に放置された泥(どろ)まみれのブルドーザーのそばにうずくまり、縛られていない前足でひどくゆっくりと絶望的に水をかき、きゃひきゃひきゃひと奇妙な音をたてて咳(せき)こんでいる犬を、いくらかふるえながら眺めていたのだ。

それからずいぶんながい時間をかけたあと、ふいに運河に小さな波紋を残し、仔犬が水の中に消えたとき、自転車をとばしてやってきたふたりの大人に中学生たちは腕をつかまれていた。ふたりの大人はどちらも色の黒いいかにも強そうないかつい顔をしており、そのうちの一人、顎(あご)のあたりがぐいと張り出した四角い顔の男は、長靴(ながぐつ)と作業服のようなものを脱ぐと、ズボンをはいたまま運河の中に入っていった。そうして岸の上で中学生たちをしっかりとつかまえているもう一人の男に、よくわからない朝鮮の言葉ですするどく何か言った。それからゆっくり運河の中に潜っていった。男は二度ほど水面にぐわりと顔を出し息をついだが、三度目に潜ったとき、首に白いボロ綿のかたまりのような仔犬をまいて浮かびあがってきた。後足を縛られた犬は男の肩の上に襟巻(えりまき)のようにからまっているだけで、生きているのか死んでいるのかよくわからなかった。けれど男がそのまま岸にあがり、肩の上の仔犬を抱きかかえてゆさぶると、犬は悲しそうな声をあげてわずかに水を吐き、縛られていない足をすこし動かしてみせた。

二人の男は自転車の荷台に仔犬をのせ、中学生たちを連れてそのまま運河ぞいの道を戻っていった。

2

石を投げたらそのまま突きぬけていきそうなひくい雲が南の空にぐんぐん流れて、幾日も降り続いた雨はようやくあがりそうだった。

ぼくときいちゃんは雨合羽（あまがっぱ）の袖（そで）をたくしあげながら、水かさのぐんと増した運河に何度も釣（つ）り竿（ざお）の先を叩きつけた。赤土のまじった運河の水はオシルコのような色になっていたが、雨あがりには普段かからない大きな獲物（えもの）が釣れるのだ。けれどその日は降り続いた雨が多すぎたのか、何時間やっても竿には何もかからなかった。

「だめだなあ、流れてくる草に浮子（うき）がからまっちゃうよ」

きいちゃんは中学生の兄さんから借りてきた雨合羽が大きすぎるので、まるでテルテルボウズのようになりながらぶかぶかと長靴をならして歩き回り、カン高い声でたびたび文句を言った。大粒の雨はまばらな霧小便のようになってぱちぱちとぼくたちの合羽を鳴らし、眼の前の運河はその水面に休みなくいくつもの水紋の輪をつくっていた。

いくら頑張（がんば）ってもまったく釣れそうもない、というのがようやくわかり、きいちゃんが「もうやめだやめだ」と言って釣り道具をしまいはじめたとき、ぼくは運河の上流からふいに恐竜（きょうりゅう）が現れてくるのを見た。それは、うっすらと靄（もや）のかかったような川の上に、いきなり巨大な黒い鎌首（かまくび）をもたげた恰好であらわれてきたのだ。

「わあ！」

と、思わずぼくはけたたましい声をはりあげてしまった。ぼくの叫び声にきいちゃんも顔をあげ、同じように「わあ！」と言った。

「わあ、しゅんせつ船だ！」

と、きいちゃんははじけるような声で言った。

「しゅんせつ船だ！」

運河の工事が景気よく進んでいた頃、この川には何台もしゅんせつ船がやってきた。そしてそのまさしく恐竜の首のような巨大な切削機をふり回しながら、おそろしいほどの重い唸り声をあげて運河の底に嚙みつき、おびただしい量の土砂を呑み込み、船尾に引きずっている長い尻尾をぶるぶるとふるわせた。船尾から出ている尾はドラム管をつなげたような巨大なパイプで、その中を水といっしょに川底の土砂がごろんごろんとうなりをあげて流れていくのだ。

しかし、梅雨あけの近い、運河の上に薄ぼんやりとした輪郭をみせたしゅんせつ船は、靄の中でおとなしい恐竜のようになんだか変に弱々しく考え深げにみえた。けれどじっと見ているとそのあたりからひくいエンジンの唸りがきこえてきたので、おとなしい恐竜が雨あがりの川の上でようやく眼覚めてきた、というような気配にもみえた。

梅雨があけるとまた運河の工事が再開されるらしい、という噂が学校の仲間たちのあいだにとびかいはじめたとき、ぼくときいちゃんは、しゅんせつ船が川上から降りてきたのを最初に見たのは自分たちなんだ、という話をいつも自慢にした。

しかし、本格的に梅雨があけ、まぶしい陽光の中を海からの風が気分よく吹き込むようになっても、工事はなかなか再開しなかった。

ぼくときいちゃんは、一向に工事のはじまらない運河にやっぱり毎日のように出かけた。その頃は二人ともすっかり釣りに凝っていたので、工事がはじまらないのはつまらなかったけれど、しかし工事がはじまると釣りができなくなってしまうので、「まあいいやどっちだって……」というような気分で相変らず学校が終ると一目散に運河に向ったのだ。

陽気がよくなったからなのか、その頃になるとキネヤのばばあも、崖をおりて運河ぞいの道を歩いている姿をよく見かけた。そのたびにぼくときいちゃんは「ああ、目がくされる目がくされる」と言って片手で自分の眼をこすってみるのだが、しかしそのとき、白地に赤い椿(つばき)のような模様のついた浴衣の裾(すそ)を風にひらめかせてゆっくり歩いていくキネヤのばばあは、それを見ると目がくさってしまうほど醜いものではなくて、むしろこの夏のはじまりの陽気な風景の中で、キネヤのばばあの浴衣姿はなんだかとても似合っているような気がした。

しかし梅雨が明けた、といわれてから一週間ほどしてまた何日か雨が降り続いた。どうやら戻り梅雨のようで、本格的に梅雨があけるにはもうすこし雨に濡(ぬ)れなければならないようだった。

川では鯉(こい)と雷魚が釣れはじめていた。雷魚はカルムチーという種類のもので、これを何匹釣りあげるか、というのが学校の仲間たちで流行(はや)りはじめていた。引きが強いので仕掛けをよく持っていかれてしまったし、釣りあげてもへたに素手でさわると鋭利な背鰭(せびれ)や鰓(えら)などで怪我をすることがあり、小学生の釣りにしてはなかなかにスリルと喜びのある挑戦的な仕事であった。

ぼくはきいちゃんと戻り梅雨の、ちょっとけむったような驟雨の中を、雷魚を狙ってまた運河にでかけた。けれど水温がすこしひくくなってしまったからなのか、その日は雷魚の魚信はまったくなくて、小さなハヤとか鰻の子供のカンニョッコなどというのがひんぱんに鉤にかかった。

「こんなもんばっかりならボラのほうがいいや」

と、きいちゃんがまただぶだぶの雨合羽の中からカン高い声で言った。ボラはこの運河が鉄橋の手前から仮放水路を通って海に出るあたりでよく釣れた。けれどそこはちょっと深い船だまりになっていて以前小さな子供が溺れて死んだことがあるので、学校からそのあたりに行って遊ぶのは禁止されていた。

「もっと上の方に行ってみようか」

と、ぼくはきいちゃんに言った。上流の方は中途まで進んだ護岸工事によって両岸の泥湿地帯にコンクリートのかけらが沢山ばらまかれており、足場が悪いのでめったに行かなかった。

きいちゃんはぼくの提案に黙って頷き、ぼくたちは竿にみち糸をからげ、そいつを垂直に立てるようにして雨の中を進んで行った。

しばらく歩いていくと、また川のまん中にしゅんせつ船が浮かんでいるのが見えた。この前に見たときは工事再開の斥候隊（せっこうたい）のようでもあったので、ぼくたちはずいぶん感激してしまったのだが、そいつは鉄橋近くまで下ってはきたものの、まるでおそるおそる水深だけ測りにきたようなかんじで間もなくまた上流の方に戻っていってしまったのだ。そうして、もぐら怪獣を思わせるギザギザ回転刃の切削アームを空中高くはねあげたまま、川の中ほどにまたむっつりと止まったきりになってしまった。

その日、ぼくときいちゃんが歩いていくと、しゅんせつ船の上に誰か人が乗っているのが見えた。それは船の操舵（そうだ）室の入口のところに立ってぼんやり外を見ているようだった。ぼくたちはそれを見てまたなんとなくうれしくなってしまった。誰も乗っていないしゅんせつ船というのはなんだか骸（むくろ）の怪物のようで気持が悪かったが、作業員が乗ってうなりをあげているしゅんせつ船を見るといつもなぜか気分がうきうきした。

ところが、その日ぼくときいちゃんがけむったような驟雨の中で見たしゅんせつ船の上には思いもかけぬ人が乗っていたのだ。

「キネヤのばばあだ……」

と、きいちゃんがなんともおかしくってしかたがない、といったような顔をして、けれども妙におしころした声で言った。

しゅんせつ船の操舵室からぼんやり外を見ているのはまぎれもなくキネヤのばばあで、それはなんだか気味が悪いほど静かな風景だった。

そのとき、しゅんせつ船の艫(とも)の方から麦藁帽(むぎわらぼう)をかぶった男がふいに姿をあらわした。そいつはひょいひょいと軽いリズムをつけて舷側(げんそく)を通り、キネヤのばばあが立っている操舵室の方に歩いていった。そして操舵室に上る鉄梯子(かなばしご)に手をかけたとき、そいつはふいにぼくたちの立っている川岸を振りかえった。男はそのまましばらく動きをとめて数秒のあいだぼくたちを眺め、それからするすると鉄梯子をあがると、キネヤのばばあを押し込むようにして素早く操舵室の中に入ってしまった。

「あいつ知ってる」

と、きいちゃんが言った。

「電気屋だよ。新田(しんでん)の農林官舎の近くに住んでる電気屋だよ」

と、きいちゃんが言った。

3

夏休みに入ってすぐ、上流の田んぼで撒(ま)いた白い農薬が間違って大量に運河に流れ込んでしまって、連日いろいろな魚が白い腹を見せて浮いてきた。小さい魚が一番早く大量に浮き上り、そいつは日がたつごとに減少し、変って大きな魚が浮くようになっていった。

学校から緊急伝達というのが回覧板で回ってきて、川で遊ぶことが禁止されてしまった。そしてギラギラと夏の陽を反射させてばかりいる運河からは、腐ったような臭いがするようになった。

海からの風が朝から一日中吹いて、夜になるとぴたりとやみ、息苦しいほど蒸し暑くなった夜、火事がおこった。消防自動車のけたたましいサイレンの音と、半鐘の音が、熱帯夜で汗まみれになった町中の空にひびきわたり、人々は寝苦しい布団からのそのそと起きあがり、まだ明けたままの窓から外を眺めたり、そのままぼうぜんと道に出てきたりした。

ボールド山のあたりがほんのり赤く朝やけのように照りあがっているのが見えた。そして消防車のサイレンは間違いなく運河に向って突っ走っていた。

ぼくは物置から自転車をひっぱり出し、母親には黙って外に出た。ぼくの家の前は荒地になっていて、そこでは火事の夜のざわめきとはまったく無関係に夏の虫が足もといっぱいに鳴いていた。

月のないぼってりとした空気の中を、ぼくは自転車で突っ走った。運河へ行く畑の中の近道を進んでいくと、目の前のボールド山のあたりが一瞬大きくはじけるように赤く染ったのが見えた。それからすこし間をおいて、なにか腹の底の方にずずんとひびくような爆発音のようなものが聞こえた。

運河の近くにやってくると、オートバイや自転車に乗った大人たちが沢山増えてきた。それらの一群とまじりながら、パジャマ姿の大人たちがそれぞれみんな同じように腕を組み、前かがみになって急ぎ足で歩いていくのを、ぼくは何人も抜いていった。

橋の近くにやってくると、大勢の人が走っていた。消防車のサイレンとけたたましく叫ぶスピーカーの声と、なにか絶えず小さな炸裂音のようなものが一緒になってあたりに広がり、濃厚で暑すぎる闇の中に石油の燃える臭いが充満していた。自転車を草むらの中に倒して、ぼくも橋に向って駆けだした。橋の上に大勢の大人たちが集っていた。

ぼくの目の前で、運河がぎらぎらと燃えあがっていた。橙色の炎は黒くて際限のない夜空を舐め、それは大きな火の柱になって運河の上で踊っていた。

しゅんせつ船が燃えていた。

船のまわりの水面からも炎はあがり、時々小さな爆発がおこるたびに巨大なしゅんせつ船は身ぶるいでもするように闇の中に火花をまき散らした。

ぼくの見ている橋からしゅんせつ船までの運河の水面に長い炎の筋ができており、そいつは妙に堂々と力強く赤かった。鉄だらけのしゅんせつ船がこんなに激しく燃えているのは、船の中に積み込まれているガソリンか何かの動力燃料が爆発したからなのだろう、とぼくは思った。

気がつくと、運河のむこう側に朝鮮人村の人たちがずらりと並んで、燃えるしゅんせつ船を眺めていた。炎の運河からの照りかえしで朝鮮人村の人たちは一人ずつが赤いローソクのように見えた。赤いローソクが身じろぎもせず、ずらりと並んでいるのはなにか夢のようにしずかな風景だった。

沢山の見物人が見つめているまん中で、消防士たちだけが慌しく犬のように動き回っていた。永いこと封鎖されていた工事現場の中の火災だったので、勝手がわからず、最初にやってきた消防車が赤土に車輪をとられて立往生し、実際の消火活動に入ることができたのは、しゅんせつ船の中の燃料がほとんど燃え尽きてしまった頃だった。

しゅんせつ船の炎がすっかり消えてしまうと、運河は急速におそろしいほどの闇に閉ざされてしまった。同時に、ガソリンの臭いのまじったねっとりと全身にへばりつくような熱気が、再び闇の中に充満していくのがわかった。見物人はなにか夏の夜の野外映画会が終ったあとのようにひくく明るくざわめきながら、あつい闇の中を帰っていった。

家に帰ると、母親が眉根の間に怒りと安堵のこもったなんとも複雑な顔をして玄関のところに立っていた。

「本当にもう……」

と、ぼくの母親はひくい声で言った。

夏休み中に三回ある「一斉登校」の日になった。ひさしぶりに出会ったクラスの仲間の話題は、しゅんせつ船の火事のことでもちきりだった。きいちゃんは、あの蒸し暑い夜に早くからぐっすり眠ってしまっていて消防車のサイレンの音ひとつ聞いていない、ということを恥じながら、それでもすでに沢山の情報を聞き集めていた。

しゅんせつ船の火事は放火で、放火したのは朝鮮人村の連中ということだよ、ときいちゃんはなんだか大人のように、あきれたような顔をしてクラスのいろいろな友達に言っていた。

ぼくたちの組の町井先生は、その日の朝いつものようにせかせかと早足で歩いてきて教室に入ってくるなり、「先週はいろんな事件がありましたねえ」と言った。それから眼(め)や口を鼻のまん中あたりにきゅっといちどきに集めるような町井先生独特の顔のしかめかたをして、ぼくたちを眺め回した。

町井先生の言ういろいろな事件のひとつはもちろんしゅんせつ船の火災のことだったが、もうひとつは、ぼくたちの町の中学生グループが鳥無神社の境内で朝鮮人村の中学生たちと大乱闘をした、という事件だった。

鳥無神社はぼくたちの町と朝鮮人の村のちょうど境のところにある山の上の神社で、巨大なアオキやくぬぎの木などが繁(しげ)っていたから無人の境内はいつも暗くて、海からの風が強い日は高い木の枝や葉がぐわりぐわりとすさまじい音をたてた。このしめっぽくて昼でも暗い神社の奥に小さな社(やしろ)があって、どういうわけかそこには二メートル近い長さの髪の毛の束がぶらさがっていた。

大人たちのなかには、あれは髪の毛ではなくて軍馬の尾を束ねたものだ、という人もいたが、ぼくたちはあれはむかしこの町で死んだ女たちの髪の毛を集めたものだ、という説の方をもっぱら信じていた。

この鳥無神社にはおそろしい話が沢山あった。神社の裏には椿の木が沢山はえている崖があって、ここは陽あたりがよく、崖のどこからでも海が見えるので、昼のあいだこの椿の崖にはぼくたちもよく遊びに行った。低い椿の木の上に乗ると身の軽い者なら次々に隣の木にとび移って、木から木をつたわってずっと動き回ることができたのだ。

この崖の中腹には防空壕があった。しかし危険だというので普段は廃船を利用した板戸で固く閉ざされていた。ところがぼくが四年生ぐらいの時に、漁師の息子がこの防空壕の中に入り、出刃包丁で割腹自殺したのだ。原因は親に隠れてやった博打の負けがかさみ、ついに船をとられてしまったからだ、ということだった。この自殺事件があってから、学校は鳥無神社の裏の崖で遊ぶことを禁じてしまった。

こんなふうな場所だったから夜はもちろん昼間もあまり人が寄りつかず、そこは不良中学生が寄り集って煙草を喫ったり、大勢で喧嘩をしたりする場所によく使われていた。

ぼくたちの町の中学生と朝鮮人村の中学生は仲が悪く、たびたびこの鳥無神社で集団乱闘を続けていた。そしてその夏も朝鮮人村の中学から五人の喧嘩の強い中学生が攻めてきて、ぼくたちの町の十数人の中学生をめった打ちしたのだ。クラスの友達から聞いた話では、しゅんせつ船の放火を噂されて怒った朝鮮人村の中学生たちが、それまであったたびたびの抗争に結着をつける、という目的もあって、木刀を持ち〝決死隊〟のようにしてやってきた、というわけなのだった。その乱闘でぼくたちの町のジンタロウという魚屋の倅が片眼を木刀で突かれ大怪我をした。ジンタロウの親父はその町の商工会の役員をやっており、店をしめるとかならず駅前の末広という酒場に行って夜おそくまで酒を飲んでいた。ジンタロウが朝鮮人村の中学生に眼を突かれた日は、酒の瓶を持ったまま警察に走り込み、ものすごい見幕で朝鮮人の中学生を全員捕えてこい！　と怒鳴りまくったのだという。

しゅんせつ船が燃えたあと、運河のあたりに行くと朝鮮人村の中学生が待ち伏せしている、という噂がひろまっていた。けれど朝鮮人村の中学生は小学生を殴るというようなことはしなかったので、ぼくはきいちゃんとそのあともたびたび運河に出かけた。

火災をおこしたしゅんせつ船は、先端のもぐら怪獣のような切削機だけは以前と同じようにぐいと威勢よく中空に突き立てていたが、それ以外のところは鉄屑を巨大な力でねじまげ、めちゃくちゃ放り投げたような、どうにも収拾のつかないでたらめさで夏の陽の下に赤黒く沈黙し、微動もせずに運河に浮かんでいた。

そうしてその日、ぼくはきいちゃんたちと六人の仲間で久しぶりにボールド山に登った。工事現場から拾ってきた古タイヤをロープに結び、崖の上から垂らして足場をつくり、この崖をよじ登ろう、という大作戦を考えたのだ。

ロープは夏休みがはじまる前に同じ仲間で運河工事の資材置場から運び込んであった。

このロープに五個のタイヤをくくりつけ、崖の上の一番大きな松の根にロープの端をしばりつけると、それはまったくもって感動的で立派なロープ梯子になった。

ぼくたちは全員で崖の下に降り、順番を決めて一人ずつこの揺れる梯子をのぼっていった。登ってみると下から眺めたときよりもはるかにあぶなっかしく、とくにタイヤとタイヤの間のロープだけのところを、赤土の割れ目に足をたくみに差し入れて、岩登りをやる人のようにじりじりのぼっていくときが大変だった。

ロープはところどころ油が染み込んでいるのできつく握らないと滑ってしまうし、上に行けば行くほど傾斜がきつくなっていくようだった。

ぼくは正ちゃんの次に登っていった。崖の上にいる正ちゃんは大冒険達成者の自信と威厳をもって崖の上からひょいと顔だけのぞかせ、足を突っ張れだとか、そこは滑るからきっちりロープをつかめだとか、いろんな注意をつづけざまに言ってよこすので、かえって登りにくいのだ。

それでもたいした問題もなく、ぼくもボールド山のてっぺんに立った。崖の途中にいるときは感じなかったのだが、ボールド山のてっぺんは海からの風がかなり強く吹いてきているので、ざわざわとあたりの木の枝がうるさいほどに風に鳴っていた。

運河のまん中あたりにちょうどぼくたちの立っているボールド山の影がのびているので、川面(かわも)の強い反射を半分だけ隠してしまっていた。そのはるかずっと上流のほうに焼け死んだ赤いカマキリのようなかんじで、運河の中にへたりこんでいるしゅんせつ船が見えた。夏の陽はそろそろ夕陽に変る頃で、しゅんせつ船の浮かんでいるあたりの水面は、斜めから差し込んでくる陽の中でぎらぎらと油のようなものを光らせていた。そのとき、

「あっ、キネヤのばばあだあ。ああやだな、目がくされるくされる……」

と、ぼくの隣で正ちゃんがひどくのんびりした声で言った。正ちゃんの顔を眺め、その視線をたどった先は、ぼくたちの向い側のもう片一方のボールド山のてっぺんのあたりだった。

海からの風は向い側のボールド山のてっぺんの木もざわざわとふるわせているので、ぼくたちの方から見ると、山そのものがせわしなく全身をゆさぶっているように見えた。そしてそのまん中あたりの木と木の間にキネヤのばばあが座っているのが見えた。長い夏草や笹の葉に隠れてよく見えなかったが、キネヤのばばあにしてはめずらしくそのあたりにしゃがみ込んでいるようで、白っぽい着物をきた上半身の姿しか見えなかった。キネヤのばばあは海からの風にその長い髪の毛をばらばらとおどらせ、片手で松の木をつかみながら下をむいていた。それはなんだか泣いているようにも見えた。

「泣いているみたいだあ」

と、正ちゃんがぼくの思っているのと同じことを言った。

「ほんとだ。泣いてるみたいだ」

じっと見ているとキネヤのばばあは風にはげしく踊る髪の毛の動きとは別に、ぶるぶると

その体までふるわせているようであった。

「なにしてるんだろう。ふるえてらあ」

正ちゃんが明るく「きゃははは」と笑いながら言った。

それから数秒後、ぼくと正ちゃんは本当にびっくりしてしまったのだが、いきなりキネヤのばばあの前に灰色のシャツを着た男の背中があらわれたのだ。それは向い側の崖の土の中からふいに人間がとび出してきたような唐突さで、キネヤのばばあのすぐ眼の前に立ち塞がったのだ。しかしよく見るとそれは土の中から突然とびだしてきた、というのではなくて、なぜかそれまでキネヤのばばあの下に寝ころんでいた男が、ふいにその上半身を持ちあげたというだけのことらしい、というのが間もなくわかってきた。男はキネヤのばばあのすぐ前に座ったまま両手で自分の頭をばりばりとかきむしり、それからふいに眼の前のキネヤのばばあの頭をその両手で抱えこんでしまった。

ぼくは正ちゃんの顔を眺め、正ちゃんもぼくの顔を眺めた。それから正ちゃんは、

「なにしてるんかなあ」

と、言った。

「おおいおおい」

と、崖の下でぼくたちを呼ぶきいちゃんの声が聞こえた。松の木の下のロープの先を見おろすと、きいちゃんがロープにくくりつけられた一番下のタイヤの上に両足をのせ、ラッキ

ョウ頭をしきりにふりたてながら崖の上のぼくたちのことを呼んでいるのだった。

「おおいおおい」

と、きいちゃんは崖から大きく体をのけぞらせ、なんだかまた怒ったように顔を真赤にしてぼくたちを呼んでいた。

「なんだきいちゃん、はやくしろよ、そんなもの」

と、ぼくは笑いながら言った。それからまた向い側の崖の上を見た。

灰色のシャツを着た男が変な具合に体をねじまげて振りかえり、まっすぐぼくと正ちゃんを眺めていた。

「おおいおおい」

と、崖の下からまたきいちゃんの呼ぶ声がした。

灰色のシャツを着た男は、いつかぼくときいちゃんが雨の中のしゅんせつ船の上で見た電気屋だった。風がひゅるひゅると乾いた音をたててぼくの頭の上と足もとのあたりをとびすさっていった。男はその風の中でまた夏草の中に寝ころんでしまい、向い側の崖の上にはキネヤのばばあの姿だけがあった。「おおいおおい」と足の下でまたきいちゃんの呼び声が聞こえ、ぼくたちの足もとの太いロープがほんの少し左右に揺れた。下をのぞくときいちゃんが再びラッキョウ頭をふりたてて一番近いタイヤまでの登攀（とうはん）を開始したところだった。

4

新学期がはじまった。けれどぼくたちのクラスの町井先生は脳下垂体の病気でしばらく休まなければならなくなり、授業は教頭先生がかわりにやる、ということになった。町井先生が脳下垂体の病気になった、ということを告げたのは教頭先生だった。そこでぼくは家に帰り母親に脳下垂体の病気というのはどういうものなのか、と聞いてみたのだが、母親は眉根のあたりにしわをよせ、黙ってぼくを睨むような顔をした。だからぼくは瞬間的に、なにかそれは女の人特有のあまりいい病気ではないのだろう、と思った。

教頭先生はかなり歳をとっていたのでその代用授業はなんだかじつにのんびりしていて、とくに算数の時間になると、先生はずっといつまでも同じ調子でねむくなるような説明を続け、黒板に数字や図を書いているばかりだったのでクラスの全員がすっかり退屈してしまうのだった。

しかし、その日はめずらしくみんな揃って興奮するような授業になった。二時限つづきの理科の時間に、運河まで行ってその近くの草っぱらに生えている草を調べてみんなで自分たちの町の雑草図鑑をつくってみよう、ということになったのである。

ぼくたちははじめのうちは教頭先生の言うように雑草を抜いてその根の形を調べたり、葉を切り取ってノートに貼りつけたりしていたが、間もなくいつものいたずらグループ五人としめしあわせて、その草むらのすぐ先にある鉄橋の下に行った。

鉄橋の下は運河の横腹から流れてくる仮放水路の出口になっていて、そこには沢山の石蟹がいるのだ。ぼくたちは台地の下になっていてもう絶対に見えやしないのだけれど、なんだかみんな泥棒のように背をかがめ、しゅんせつ船からの土砂を海まで送るパイプの影をつたわって鉄橋の下に急いだ。そうして朝鮮人村との境界のようになっている私鉄電車の鉄橋の下につくと、みんなで顔を見合わせ、はじめて声を出して女の子のようにくっくっと笑いあった。

まだ拡張工事をされていない鉄橋の下の川はあちこちに石が転がっていて流れがつよく、浅瀬のあたりでうっかりすべるとそのまま流されてしまいそうな程だった。

石蟹のすみかは川の両岸の大きな石の積み重なったあたりにあって、ぼくたちは二人か三人がかりで力を合わせてそんな石を次々にひっくり返していった。なにか妙に考え深げに断続的に横走りして逃げていく蟹は、二人で協力して追うと簡単にとらえることができた。

しかしそうやって沢山つかまえてもそいつを持って帰るのはどうも難しそうだったので、ぼくたちは間もなく蟹とりに飽きてしまった。それからまた草むらのある台地の方からそれまでずっと聞こえていた女の子たちの声がふいに聞こえなくなってしまったので、まだたっぷり時間は残っている筈だったけれど、なんだか急にこころ細くなってしまった。そこでトシオと斎藤の二人がいったん戻って様子を見てくる、ということになった。

残った三人で、また川の中に入り、今度は川蝦を捜しはじめた。石蟹はすばしこいから駄目だったけれど、川蝦だったら野球帽の中に入れて持って帰ることができるのだ。

川蝦は浅瀬にある石と石の間とか、瀬の中の小さな澱みにひそんでいる。鉄橋の下から下流はいくらか扇型になって瀬がひらいており、その中に立つと足元に流れていく水はおそろしいほどの早さになっていた。そしてあのしゅんせつ船の浮かんでいる川から流れてくる水と果して本当に同じものなのだろうか、と思うほどその水の色は透き通って見えた。

扇型の瀬に入っていくと、川下の朝鮮人村がよく見えてくる。そこから下はしゅんせつ船によってまだ拡げられていないむかしからの小さな花咲川がのったりと蛇行しており、朝鮮人の村は花咲川の葦の繁った河原にそのまま続いて広がっている広大な窪地にあった。そこは台風などで川が氾濫するとたちまち水びたしになってしまうところで、氾濫まではいかなくとも梅雨どきになると窪地全体がぶよぶよになってしまうのだ。

朝鮮人村のあちこちからは細くて青っぽい煙があがっていた。この村は不思議なことにかならずいつもどこかでゴミを燃やしていた。そして犬の吠え声がいくつも重なって聞こえていた。

「警察だ！　警察のジープがとまってる」

早瀬の音の中で誰かが素晴しい発見のように大声で言った。朝鮮人村からの焚き火の煙がひくくたなびいて花咲川の上にかかっているあたりに、警察のジープが見えた。ジープは花咲川に一番近い煤(すす)けた小屋の横に半分隠れるようにして止まっていた。煤けた小屋から数羽の鳩(はと)が飛び出し、たなびいてくる煙の均衡を羽撃(はばたき)で大きくふるわせ、いっときぼくたちの頭上を旋回するようにして、やがて鉄橋の先に消えていった。

ぼくは野球帽の中でもぞもぞと動き回っている川蝦の小さな鋏(はさみ)と片手をあそばせながら、早瀬の中に立ってしばらくそのまま朝鮮人村を眺(なが)めていた。

犬の吠え声がさっきよりも激しくなった。犬たちは村の中をぐるぐる走り回りながら吠えているようだった。騒々しい犬たちの咆哮(ほうこう)の中から、ふいに二人の警官が姿をあらわした。そのすぐうしろをランニングシャツにだぶだぶの半ズボンをはいた色の黒い男が続き、そのうしろからまた二人の警官が足早に歩いてくるのが見えた。

先頭を歩いてきた二人の警官はよく顔を見る町の警官だったが、あとの二人の警官は知らない顔だった。しかし警官たちに囲まれてなんだか不自然なほどぐいと胸を張って歩いてくる男は、ぼくの知っている顔だった。その男は夏休みのはじまるずっと前に、ぼくたちの町の中学生が朝鮮人村の仔犬の足を縛って運河に放り込んでしまったとき、あとからやってきて河の中にとびこみ、半分死にかかった犬を拾いあげてきた四角い顔の男だった。

警官たちは鳩小屋の横でエンジンをかけたまま止めてあるジープの幌(ほろ)をあけ、四角い顔の男と一緒に素早くその中に乗りこんでいった。

薄紫色の排気ガスを大量に吐きだして、ジープがゆっくり朝鮮人村から走り去っていくのを見とどけてから、ぼくらは顔を見合わせ、しばらくの間みんなで黙りこんでいた事を笑いあった。そしてそのときちょうど、偵察に行っていたトシオがすこし蒼ざめたような顔をしてばしゃばしゃと盛大に飛沫をあげながら早瀬の中を走ってくるのが見えた。

5

キネヤのばばあが口紅をつけて歩いている、というのを最初におしえてくれたのはきいちゃんの兄さんだった。

「あのなあ、あれはおっかねえぞ。気持わるくておっかねえぞ。見たらこんどこそ目がつぶれるわ」

と、きいちゃんの兄さんは笑わずに言った。朝鮮人村の中学生を偵察に行ったときに、ボールド山の上で見たのだという。

「やだなあ、気持わるいなあ」

と、きいちゃんが大人のように分別くさい顔をして言った。そしてぼくたちはどうしてキネヤのばばあが口紅をつけて歩いていると気持が悪いのか、ということについてはあまりよくわからなかったのだが、口々に「気持わりいなあ」と言いあった。

そして相変らずぼくたちは学校が終ると何人か連れだって運河に出かけた。みんなゴムタイヤとロープでつくった梯子をよじのぼるのがすっかりうまくなっていたし、秋になってまた魚が沢山釣れるようになってきたからだ。それからぼくたちはそのことについてはあまり話はしなかったけれど、なんとなくみんな口紅をつけたキネヤのばばあと会うのを待っている、というようなところがあった。

そうしてまたその頃すこしずつ気がついてきていたのだが、きいちゃんの兄さんたちが朝鮮人村の中学生たちを偵察に行く、といいながら、実際にはどうもきいちゃんの兄さんたちもみんなしてキネヤのばばあを眺めに行っているようなのであった。

とくに秋になって海からの強い風が吹く頃になると、きいちゃんの兄さんたちはぼくたちのつくったタイヤの梯子を使って崖をあがってきて、「キネヤのばばあを見たか?」などと聞きにくるようになった。そうしてぼくはどうしてきいちゃんの兄さんたちが風の強い日にキネヤのばばあを見にくるか、ということもわかっていた。

風の強い日にキネヤのばばあがボールド山の崖の上に立っていると、海からの風にキネヤのばばあの着物の裾が大きくはらはらとまくれあがり、風の中でキネヤのばばあの腰から下がそっくりむき出しになってしまうからだった。

夏休みすぎて二カ月ほどたった頃、ぼくたちのクラスにまたいちどにふたつの大ニュースが流れた。そのひとつは、ずっと休んだきりの町井先生がそのまま学校をやめてしまう、ということであった。そのことをつたえてくれた教頭先生は「病気がよくならないので……」と言ったが、それを聞いてぼくは即座に脳下垂体が悪くなったのだなあ、と思った。

町井先生のかわりに新しくツチダコウゾウという先生が君たちの担任になりますよ、と教頭先生はすこし笑いながら言った。それから黒板に黄色いチョークで大きく「土田鋼三」と書いた。

もうひとつの重大ニュースは、夏の夜に燃えたしゅんせつ船はやはり放火によるもので、朝鮮人村の「きん・こうしゅ」という男が警察に逮捕されたという話であった。ぼくはその話を聞いたとき、警察のジープに連れていかれた四角い鰓の張った朝鮮人の顔をすぐ思いうかべてしまったのだが、クラスの友達の話では犯人は十七歳の小柄な少年で、しかも逮捕された場所は鉄橋の先の朝鮮人村ではなくて、東京の錦糸町というところだったという話なのだ。

しかしぼくはあの船に火をつけたのは四角い顔をした男でも、十七歳の少年でもなく、あの日、雨の中にキネヤのばばあといっしょにしゅんせつ船の上にいた新田の電気屋ではなかったのだろうか、となんだか妙な確信をもって考えていたのだ。

子供の頃に毎日のように出かけていた、この小さな町の小さな運河の工事場をめぐる、私の記憶の中の物語はこれでおわる。私の中に残っている、あるときはおどろくほど鮮明で、あるときはもどかしいほどおぼろげないくつかの記憶の群の中で、もっともこころもとないのは、その後キネヤのばばあはどうしたのだろうか、ということである。しかし奇妙なことにそのあとのことはほとんど何も思いだせずにいるのだ。

中学生になるともう運河にはめったに行かなくなってしまった、ということもあるのだろうが、同時にどうやらキネヤのばばあも運河のあたりにその姿を見せなくなってしまったようなのだ。

これは想像だが、おそらくその頃、時を前後してキネヤの家族の手によって、悲しいこの若い女性は、しかるべき病院施設に収容されたのではないのだろうかと思うのである。

花咲川の運河の工事はその後数年して、朝鮮人村の移住撤退が決まるとすぐ再開し、二年ほどで海まで続く運河の工事が完成した。この運河のしゅんせつ工事によって、上流の沼は三分の一ほどの規模が干拓され、川からの土砂によって海はかつての海岸線から沖合二キロまでが埋立てられた。

昨年の秋に、私はある雑誌の企画で、その川の上流の沼から海までをカヌーに乗って下ってみる、ということをやった。上流の沼から一泊二日がかりで、このボールド山の下の運河までやってきたのだが、私の子供の頃にみた運河はもうそこにはなかった。

たしかに昔のままに運河はボールド山の崖の下を流れていたのだが、川から見るふたつの崖はぼろぼろになっていて、考えていたよりも三分の一ぐらいも低くみすぼらしくみえた。崖の色は全体がオウド色に変化し、名前のよくわからない細い葉の草が密生し、それはほとんど見知らぬ風景になっていた。たしかに昔と同じ崖ではあったが、子供の頃に全身をきゅっと緊張させてのぼりつめた恐怖とよろこびの崖は、もう消えてなくなっていたのだ。

ある程度予想はしていたけれど、私はなんとも所在のない気分で左右にパドルをふり、崖の下を素早く通過していった。通過しながら、あおむけになってカヌーの上に背中をあずけ、ボールド山の真下のあたりから崖の上に向って眼をつぶったのだが、長い髪と白い着物をひらひらと踊らせていたキネヤのばばあのまぼろしは、私のまぶたの内側にほんのわずかの風のひらめきほどにもあらわれてはこなかった。

土星を見るひと

「土星をね、ずっと十八年間も観測し続けている人、というのはどうだい」
と、ベーヤンから電話があったとき、水島次郎は躊躇なく、「うん、それはいい。それはいいじゃないか」と言った。

ベーヤンとは黒崎弥平という名のフリーのカメラマンで、弥平の平をとって仲間うちではもっぱらベーヤンと呼ばれていた。水島とベーヤンは一時期、同じ会社に勤めていたことがある。主として銀行のロビーや病院の待合室などによく置かれている二流の写真雑誌を発行している会社で、その頃は仕事でよく一緒に旅行をした。水島がその会社を辞めて仲間三人と「ひいらぎ企画」を作った時、同時にベーヤンも辞めてフリーのカメラマンになった。

「ひいらぎ企画」はＰＲ誌や広告制作のプランニングを主な業務にする、という寄り合い零細プロダクションだったが、要は金になる仕事があったらなんでもいたします、というよろず雑用引き受け会社であった。

しかし事務所を開いてもあまりいい仕事はこなかった。食っていかなければならないので、三人の男たちはそれぞれ独自に自分の仕事を捜しだし、必死にくらいついていかなければならなかった。

「どうもその『ひいらぎ企画』という事務所の名前がよくないんじゃないか。トゲトゲしくていけないんだよ」

そんなことをベーヤンから言われたことがあるが、水島は、どうせなんでもやってしまう会社なら名前だけでもトゲを持っていたいと思うんだよ、とその時すこし酒に酔いながら答えた。しかし、事務所をひらいて半年目に三人の開設仲間のうちの一人が辞めていった。そして今は、残ったもう一人の男とそれぞれの個人的な連絡所兼仕事場としてその事務所を使っている、という具合になっていたのだ。

水島がベーヤンと組んでやっている仕事は、水島がルポライターとしてあるB級綜合雑誌に連載している「ひたすらの人々」というタイトルの人物探訪記事であった。ある程度評価が安定しているのか、それともほかにいい企画が出てこないからなのか、水島とベーヤンのコンビではじめてから、それはもう三年目になっていた。

探訪すべき「ひたすらの人々」というのは、とにかく何かのモノゴトにその人生や全精神を傾けている人間、というのを最低基準に、これまで歴史学者からコレクター、科学者、冒険家、料理研究家、武術家など、有名無名の別なくさまざまな分野の人々をとりあげてきた。

取材する人物は、最初のうちは担当の編集者を含めて水島とベーヤンの三人でいろいろと情報を集めて吟味していたのだが、実際には顔の広いベーヤンの情報網に負うところが大きかった。そうして一年ほど連載が続いたあたりで、取材人物を捜してくるのはもうあらかたベーヤンと水島の仕事になってしまっていた。アタリをつけた人物を編集者に報告するのは水島の役目で、その人物の簡単なプロフィールを電話で説明すると、担当編集者の藤本は腹に力の入らない声で「はあ、そうですか。なるほどなるほど。よくわかりました。それでは一応編集部の方でも検討させていただきますので、ちょっと一日だけ待っていただけますか……」と、だいたい、いつでも同じことを言って電話を切るのである。

「おそらくあれはなあ、編集部内では何も考慮なんかしてはいないのさ。そのままだと、こっちの言いなりになっているだけのようで編集部の面目がたたないからな、一応のもったいをつけて一日だけ話をあたためているだけなんだよ、あれは……」と、ベーヤンはよく電話でそんなことを言っていたが、その気配は水島も感じているところだった。

だからこのごろは水島が藤本と会うのは原稿をわたす時ぐらいなもので、それも新宿東口のいつも息苦しいほど煙草のけむりのよどんでいる換気の悪い喫茶店で、ぼそりぼそりと三十分ほどあまり気勢のあがらない話をするだけだった。藤本は瘦せて昆虫じみた顔をしていたが、必要以上にマバタキが多いので、なんとか全面的に暗くなっていきそうなところをそいつで救っている、というようなところがあった。

「まったくなあ、編集屋なんて楽なもんだよ。あれで四ページ分とそのグラビアは今月もオーケーです、なんて編集長に話をして、それでおしまいなんだよな」

と、面倒な交渉ごとを全部すすめているベーヤンはときどき文句とも嘲笑ともつかないような口調でそう言ったが、しかしいろいろと知らない世界の人間と仕事の交渉をする、という作業をベーヤンは基本的に好きなのである、ということも水島はよく知っていた。

　それからまた藤本があいだに入って交渉すると時々とんでもないことから話がつぶれてしまう、ということがよくあった。水島とベーヤンが大いに期待していた土蜘蛛（つちぐも）の研究家の時などは、取材現場まで出かけていきながら失敗してしまったのだ。理由はよくはわからなかったが、どうも話を聞こうという直前に藤本が「取材の謝礼についてあらかじめお話ししておきますが、当誌はこれこれこういうところのこういう状況の雑誌であるため、あまりたいした額のものはお支払いできないのですが、しかしとりあえず二時間ほどでこれこれこのぐらいの料金はお支払いできますので、なにとぞひとつよろしく御了承のほどをひとつどうぞよろしく……」などといつまでもくどくどと喋（しゃべ）りまくっていたために、先方の男に「ああもう、うるさい。わたしは金のためやっているんではない、帰って下さい！」とすっかり臍（へそ）を曲げられてしまったのであった。

　その土蜘蛛の研究家は群馬県にある追手山の廃屋に老妻と住んでいて、夜更（よふ）けに土蜘蛛の巣のかたわらで一晩中じっと観測している、というもうひとつどうかすると「狂」の文字がチラチラしてくるような興味ぶかい人物であった。その老研究家と一緒に一晩山の中で徹夜するつもりだった寒がりのベーヤンなどは羽毛の寝袋を二つも持ってきたから、写真用具を含めて大変な大荷物をいまいましそうにかついで駅まで戻ってきた。そうしてベーヤンと水島はなんだかあまりにもつまらないことでその気負いをはぐらかされてしまったのと、折角の面白そうな人物をとらまえそこねた無念さで、帰りの列車ではほとんど黙ってビールばかり飲んでいた。

そのことがあってからベーヤンと水島は藤本の仲介なしに仕事をしていく、というシステムをはっきりとつくりはじめ、藤本もそっくりそれに安住する、ということになっていったのだ。

「その土星の先生だけれどな、実は大変急な話で悪いんだけど、取材できるのは今夜なんだよ」

と、ベーヤンは電話のむこうで持ち前の大きな声をはりあげた。

（今夜か、今夜というのはすこしまずいな……）と、水島はその時、瞬間的に思った。しかしそのあとすぐ、そうか、こんなことで折角の取材のチャンスを逃がしてなどいられないのだ、これはおれの仕事なのだ、と思い直した。

「いいさ、あいているよ」

と、水島は答えた。

「よおし、よかった。しかし今夜といってもな、思いきり遅いんだ。まあだいたい午前三時頃になると思ってくれ。今夜というか明日の早朝というか、ムズカシイところだけれどなあ。場所は三鷹（みたか）の東京天文台だ」

「どうしてそんな時間なんだ？」

「空の事情だよ。土星というのはね、いまの季節はそのじぶんにならないと観測可能のところまで昇ってこないというわけだ」

「そうか、なるほど」

「うまい具合に今日は天気のほうも大丈夫のようだ。いまおれは西新宿にいるんだけれど、西のほうが夕やけふうになってきた。願ってもない条件らしいな、こういうのは」

ベーヤンのうしろで沢山のエンジンが低い音をどろんどろんと気ぜわしく響かせているのが聞こえていた。その音はふいに水島の耳の中で犬の咆哮に変った。排気量の多い単車が数台つらなって疾走していく光景が頭の奥に浮かび、ベーヤンから電話がかかってくるほんの少し前に、妻の美也子から電話があったのだ。

「犬が死にそうになってるの」

と、美也子はすこしかすれた声で言った。

「死にそうになっているって、どうして？」

と、水島は言った。

「どうしてって、死にそうになっているのよ。山浦さんに来て貰ったら、万年青とか玉葱をね、体の弱っている時にたべたりすると、ひどい食中毒をおこして死んでしまうこともあるんですって……」

「手当ては……」

「山浦さんがすっかり面倒をみてくれたわ。いまはじっとしているけれど、今夜が峠だろうって」

山浦さんというのは近所の獣医だった。保健所のやる一斉予防注射などに行けなかった時に、二度ほど水島がそこまで連れていって注射をしてもらったことがあった。

「さちえがなんだかおびえてしまっているから、今日は早く帰ってきて……」

美也子はそう言って電話を切った。

「それで土星の先生がね、実際の仕事をはじめるのは午前三時半頃だというので、おれたちは三時までにその先生の家に行く、ということにしたいんだ」

オートバイのエンジンのうなりのなかで、ベーヤンは怒鳴るようにして言った。

「わかった、それまでどうしていたらいいのかな?」

「東中野の北口に朝までやっている『サルーン』という小さなスナックがある。おれの知りあいがやっているんだけどな。十二時頃から行っているから、そこで待ち合わせできると好都合なんだがなあ」

「わかった。十二時頃に行くよ」

ベーヤンの教えてくれた電話番号をメモし受話器を置きながら、この件は早速、藤本に連絡しなければならないだろうな、と思った。しかし水島はなんだかそうすることが非常に億劫な気がした。時計を見るとあと二十分ほどで五時になるところだった。ちょうどこの時間だと雑誌社の編集部には一番沢山、人がいる頃であった。水島の事務所のマンションからその雑誌社までは車で十分とかからない距離にあったが、水島は今日は電話をかけることも、そこに寄っていくこともしないでいよう、と思った。仕事がすっかりすんでしまってから藤本に報告する、ということでもいいじゃないか、それでクレームがついたらそれはそれでいいのだ、と水島は思った。

電車を降り、坂下商店街のアーケードを抜けるとあたりは急に冬の闇になってしまった。都心から三十分ほど国電に乗り、さらに私鉄電車で一駅入ったその町は駅から三、四分も歩くと商店街が切れて、街灯もまばらな住宅地になってしまう。風が吹き抜け、温度は急速に下っていた。昼間が快晴だと夜は冷え込むからよほど暖かい恰好をしてきたほうがいいよ、とベーヤンが言っていたのを思いだした。そしてその時、同時に水島は、今夜、自分は生まれてはじめて自分の眼で土星の輪を見ることができるのだ、ということに気がつき、すこしだけ少年のようなあつい気持になるのを感じた。そうだ、ようやく今頃になって、おれはやっと土星の輪を見ることができるのだ、と水島は歩きながら自分の体の内側がすこし緊張していくような気がした。

土星の輪を望遠鏡で見てみたい、と水島がはじめて思ったのは中学生の時だった。ヤマトの組立式天体望遠鏡セットというのを買ってきて、ガリレイ式の望遠鏡を作り、芋畑のまん中に立ってあちこちの星を眺めたのだが、どの星も光の点がほんの少し大きくなって見えるだけで、期待した球形の惑星は何ひとつ見ることができなかった。そして三十分ほど眺めていると、ボール紙を丸めてつくった円筒のところどころがへこんできて、丸い視野の中に見えるおぼろなその点はぶるぶると大袈裟にふるえ、ますますみすぼらしい光点になっていくだけだった。

その後何年かして友達の兄に三脚つきの本格的な天体望遠鏡を覗かせてもらったことがあったが、その時も土星は見つからなかった。友達の兄は大きな木の箱の中に沢山のレンズを持っており、どのくらいの倍率のものがあるか、ということをうるさいほど説明していたが、惑星はあまり捜そうとせず、月の噴火口ばかりを「どうだすごいだろう、あのひとつひとつのクレーターが後楽園の球場ぐらいあるんだぞ」といって何度もそれを見せるだけであった。そうして結局水島はそのあといまに至るまで一度も、望遠鏡で土星を捜す、ということができなかったのだ。

風が吹き抜けていく先に冬の星が見えた。相変らずどのあたりに土星があるのか水島にはさっぱりわからなかったが、土星というのはまだこの時間には空に出てきてはいない、というベーヤンの話を思いだし、水島は空を眺めるのをやめた。

玄関のドアをあけると、水島の帰ってくるのを待っていたらしく、五年生になる娘のさちえが居間から走ってきて、

「おとうさん、さっきまたケンが血を吐いた！」

と、すこし顔をこわばらせながら早口で言った。

「ぼくが庭でぐったりしているのを見つけたんだ。もうその時ケンは歩けなかったんだ」

と、娘はやつぎ早に言った。学校で流行っているのか、娘は男の子のように自分のことを「ぼく」と言った。

犬は板張りの居間の隅で、電気ごたつの中にすっぽりもぐりこみ、首だけ出して上をむき、「ひゅうひゅうひゅうひゅうひゅう」と不思議な声であえいでいた。鼻先から耳のあたりまでが白茶けてまるで艶がなくなっており、眼はほとんど焦点が合っていないようだった。

「何度も血を吐いているのよ。いますこし前にも苦しそうにだいぶ吐いてね」

と、美也子がひくい声で言った。

「体温がね、さがりすぎていて、さっき計ったら三十五度しかなかったんだよ。犬はだいたいいつも三十八度あるんだって。先生があぶないからとにかくできるだけ体を暖めるようにってね、そう言ってた」

娘は水島の顔とケンの顔を交互に見つめながら早口で説明し、パチパチと激しく眼をしばたたいた。それから犬の鼻の上にひとさし指をあててゆっくりそのあたりを撫でてやった。

「ひゅうひゅうひゅうひゅう」と、犬はあえぎつづけていた。朝、家を出る時はほとんどいつもと変らなかったのに、今見るそれはすっかり血の気を失い、顔全体をひきつらせた見知らぬ年寄りの犬になってしまっていた。

「さっきまた山浦さんに来てもらって、輸血をしてもらったんです。輸血といっても血液ではなくてリンゲルのような薬品だったけれど」

美也子の足もとに、丸まった黄色いバスタオルが落ちていた。そしてそこには薄赤っぽいしみが沢山ついていた。

その犬は三年ほど前に水島が近所の犬屋で買ってきたのだ。犬を買うつもりなど全然ないのに、その日、坂下商店街のはずれにある間口一間の妙に陰気な犬屋でそいつをぼんやり買ってしまった。動物を金で買う、ということにかなり抵抗があるはずだったのに買ってしまったのだ。牡の柴犬で三万六千円であった。

水島はその前の日に雑誌社の藤本から五万ほどの金を貰った。領収書のいらないあまりよく意味のわからない金であった。仕事を始めたばかりのこともあって、貰うか断わるか、一瞬迷ったのだが、それを決めかねているうちに藤本は水島の手に五万円の入った茶封筒を握らせていた。そうしてそのあともう一人そこにいたフリーの原稿書きを呼んで、「あのね、ちょっと待っていてくださいね」と、そいつに藤本はひくい声で言った。それから尻のうしろのポケットに突っ込んであった二重封筒の中から十数枚の一万円札をべろりと出し、一枚一枚唾をつけながら「ひいふうみい……」とかぞえ、そうしてその男にはむきだしの三万円を渡していた。まだ若いくせに「ひいふうみい……」なんてずいぶん古めかしいかぞえかたをする男だな、と水島はそのやたらにマバタキの多い藤本という痩せた小男を面白い動物でも見るような気分でしばらくの間眺めていた。

犬屋の親父は店の奥で弁当を食っていた。店の奥と二階が住居になっているようだったが、自分の家なのに弁当を食うのは面白いな、と思った。親父は無愛想な男で、水島が入っていっても何も言わずにどろんとした眼で水島を一瞥し、それからまた黙々と弁当を食い続けていた。

細い鉄格子でできた檻の中に種類の違う犬が数匹おぼつかない足どりで動き回っていた。水島はその中で悲しげに眼が三角に垂れ、足の先が四本ともそっくり白くなっていて小さな足袋をはいているように見える仔犬に気をひかれた。そいつは水島を正面から見上げ、なんだか困ったような顔をして、すこしの間小さな尾を振ってみせた。

動物を金で買うなどというのは初めてだから、そういう犬がいくらぐらいするのか水島にはまるで見当がつかなかった。けれど五万円以内だったら買おう、と水島は唐突に思った。

犬の値段を聞くと、店の親父は机の上のお茶をゆっくりとすすり、「さて、どうですかねえ……」などと言いながら立上った。水島の指さした仔犬はもう水島にはまったく興味を失ってしまったようで、別の仔犬の尻尾を追って斜めにふわふわと檻の中を走っていた。

「あ、あれですね、えーとあれは三万六千円でありますね。牡の柴犬ですからね」

と、店の親父は言った。妙な言葉つきではあったけれど、話をするとけっこう愛想がいいようであった。

「それをください」

と水島は言った。店の親父はチロリと水島の顔をながめ、それから一呼吸おいて、

「わかりました。あの柴犬ですね」

と言った。

犬は折りたたみ式の家のかたちをしたダンボール箱の中に入れられ、入口のところをガムテープでとめられた。店の親父は、ふんふんふふふん、と聞いたことのないようなリズムの鼻うたを歌ってゆっくり仕事をすすめ、それからふいに役所の窓口にいる人のような不思議にきまじめな顔になって、「血統書はどのようにいたしましょうか」と聞いた。

血統書がある、というのをその時はじめて知って水島はすこし苦笑した。そうか、血統書なんていうのがあるのか、と水島はそのダンボールの犬小屋を見ながら、もっと笑ってしまいたいような気持になった。つまらない金だからその金で犬を拾うようなつもりで買ったのだけれど、血統書つきの犬を買うなんて結構なお話だ、と水島は思った。

「あるんなら一緒にもっていきますよ」

と、水島は言った。店の親父はどろんとした眼をすこし動かしてひくく笑った。

「いえね、血統書はすぐにはお渡しできないんですよね。あれは両親からの証書をとって、それから登録をすませて、それから改めてお送りする、ということになりますですね。です

からその血統書をお送りする場所はどうしますかね、と聞いたわけで……」

そういうことになるとなんだか急にあまり面白くもない話になってしまった、と水島は思った。しかし言われるままに自宅の住所と電話番号をつたえ、犬の入った紙の箱をぶらさげて店を出た。商店街をすぎ、家につくまで箱の中の仔犬はうなりも鳴きもしなかった。

二年生になったばかりの娘は、ダンボールからヨタヨタと顔を出してきた小さな犬を見てはじけるようにしてよろこんだ。「坂下で拾ってきた」と言うと、妻の美也子は「まったくもう……」という顔をして、声をたてずに笑った。

水島の眼の前で三歳半のすっかり成犬になったその犬が老犬の表情をしてあえいでいた。

「おとうさん。犬は人間みたいにやっぱり涙を流すんだねえ」

と、娘が言った。

「そうか、涙をながしていたのか？」

「うん。血を一番たくさん吐いた時に涙をすこし流していた。ぼくは見てしまったんだよ」

犬の世話は娘の仕事であった。朝と夕方に散歩をさせ、休みの日には近くの市民公園に行って一緒によく遊んでいた。

「食事は？」

と、美也子が聞いた。

「いや、昼が遅かったからね、今はいい。それに間もなく出かけなければならない」

「ええ？　どうして……」

娘がとがめるような口調で言った。

「仕事なんだよ。天文台に行って人と会わなければならない」

「この寒いのに……」

美也子が言った。

「しょうがないだろ、仕事なんだから」

美也子が水島にむかって必要以上のことはほとんど喋(しゃべ)らなくなってしまったのは、佐賀島(さがしま)衣子(きぬこ)が水島の留守に突然家にやってきた時以来だったな、と水島は思った。あの時佐賀島衣子が水島の妻に何をどう言ったのか、水島はよくわからなかった。その時も水島は、

「しょうがないだろ、男なんだから……」

と言った。そしてそのあと一方的に腹を立てながら外出し、坂下商店街の二、三度入ったことのある飲み屋で酒を飲んだ。そして我ながら、しかしあれは勝手な言い分だったかもしれないな、と気持が落着いてくるにつれて考えはじめた。

佐賀島衣子のことがわかってしまったあとも、あまりたいした変化はおきなかった。さわぎも喧嘩(けんか)もなかった。しかし水島はそれがかえって気に入らなかった。なぜ美也子は泣いたりわめいたりしないのだろう、と思った。泣いたりわめいたりしたら、すくなくとも水島自身はずっと気分が楽になるような気がした。

東中野の「サルーン」には十二時前に着いてしまったが、店の奥のなんだかちょっと異常なほどひくい椅子に、すでにベーヤンが座っているのが見えた。椅子がひくいので背の高いベーヤンが長い両足をX型に組んでいるのが妙に滑稽だった。こんなふうに足を交叉させて座っている風変りな仏像を、以前何かの本で見たような気がしたが思いだせなかった。

「どんどん冷えてきているからさ、あったかくなるものを入れていかないとたまらないからなあ」

ベーヤンは入ってきた水島の顔を眺め、それから、自分の前に座っている女に視線を戻してすこし笑った。

「でもねえ、毎日毎日土星だけを見ている、という仕事はじっさいの話どんなかしらねえ」

ベーヤンの前に座っている赤毛の女が鼻の先にすんすんと抜けていく妙に乾いた声で言った。それは照度を落したこういう酒場にはまるで似合わない声であった。

「ご一緒の方ですか？」

カウンターの中で銀色のベストをつけた若い男が頰のはじの方で笑いながら言った。水島は店の奥のベーヤンを眺め、小さくうなずいた。

「星なんて毎日見てたっておんなじでしょうに……」

赤毛の女は振りかえり、水島の顔を見ながら言った。

「あのなあ、おんなじものをずっと見つづけているからエライ！　というわけなんだよ。そういうことはあまりできないんだぞ。簡単にできそうでいてできないんだ。あたり前の人にはできないんだよ。だからな、あたり前の人にはできないことをずっとやっている人はとにかくみんなエライんだよ」

ベーヤンは早くもすこし酔っているようだった。テーブルの上の灰皿に彼の好きなロングピースの吸殻が散らばっていた。

「わたしだって毎日見ているものがあるわ」

と、女は言った。

「わかった。シゲルだろう」

ベーヤンが言った。

「きゃははは」と女は陽気に笑った。笑うとその声はもっと乾いてカン高く、幼児のはしゃぎ声のようになった。

「わたしだってシゲルの顔を毎日見るのは耐えられないわ。あのひともうここんとこ、いつだってつまらない顔をしているんだからね。そういうのをもうずっと七年間も見てきたわ。だからわたしだってあたり前の人にはできないことをずっとやっているんだわ」

店の中はベーヤンのほかにカウンターの隅に男と女の二人連れがいるだけだった。男はまだ二十歳をすこし越えたかどうかというあたりで、ずっと昔アメリカの映画で観たことがある首と肩をくねくね曲げるしぐさで体を左右にゆっくり動かし、グラスのウイスキーを飲んでいた。

「早かったじゃないか」

ベーヤンは水島を見上げ、小刻みに首を振ってよしよし……と頷いた。そういう時のベーヤンに会うと、なんだかいつも水島は気持の底のほうが落着くような気がした。赤毛の女が立上り、カウンターの銀チョッキの差しだしたおしぼりを受けとって、そのまま水島に手渡した。

「さっきよりもずっと冷えてきたろう？」

と、ベーヤンが聞いた。

「うん、風がつめたくなったね」

「さっき車のラジオで言っていたけれど、明け方は零下四、五度ぐらいにはなるらしい。寒波なんだろうな」

「ベーヤンは寒いのに弱いからなあ」

「いや人並みというところだよ。だけど三十五をすぎたら急にいくじがなくなってきた」

「誰でもそうだよ」

「水割りでいいかしら」

赤毛の女が言った。女は両頬がくぼんでおり鼻がとがっているので、正面から見るとちょっと外人の女のように見えた。自分でもそのあたりを意識して髪の毛を赤く染めているのかもしれないな、と水島は思った。

「水島くんといってね、おれと組んで仕事をしているひと」

グラスを持ちあげ、ベーヤンが言った。

「ちかこです、よろしくね。寒いのに大変ですね」

「いや本当のことというとね、おれたちはこういうのを結構楽しんでいるんだよ。かあちゃんにも堂々と、夜明け近くまで酒のんでいることの言いわけがたつしな。わはは」

ベーヤンがグラスを上下にゆさぶり、中の氷をうるさくかきまぜながら本当に楽しくってしようがない、といった笑いかたをした。

「いつでもしあわせなのよね、この人は。あたし黒崎さんがしけた顔しているのを見たことないわよ」

「しけた顔はシゲルだけでいいもんな！」

「そうよ、いつもあいつを見てるからね……」

「あのね、こいつの旦那(だんな)は堂本シゲルと言ってね、むかし、東映の映画に出ていたんだよ。まあつまり俳優だよな、アレでもな」

「そうかしらね、あれでね」

「昔、東映がね、第二東映というのをつくっていた時があってね、その頃(ころ)の第二東映の若手スターだったんだよ」

「結局続かなかったけれどね」

「第二東映なんておかしなものつくったもんだよな、今思うとあれは映画が一番いい状況の時だったんだろうな」

カウンターの中で電話が鳴り、同時にひくく流れていた店の中の演歌がふいにカントリーウエスタンに変った。

「有線ですかね？」

と、水島は聞いた。そうしてすぐおもしろくもないことを聞いてしまったと後悔した。

「ええ」

と、赤毛の女はあたり前の顔に戻ってうなずいた。

「電話です」

と、銀チョッキがカウンターの中から赤毛の女に言った。

「めしは？」

と、ベーヤンが聞いた。

「まだなんだ。しかしそんなに食いたくもないんだ」

「出がけに何か腹にたまるものを作ってもらおう。何か包んでもらってタクシーの中で食っていってもいいしな」

「ここへはよく来るの？」

「さっきのそのシゲルというのと沖縄で昔テレビの仕事をしたことがある。それからのつきあいでね」

「随分いろんなことやってたんだな」

「すきなんだよね」

ベーヤンはそれから首のうしろに右手をあてて、すこし背中をそらせてみせた。

「今日はさ、一日中つまらない仕事をしてたんだ」

「撮影か？」

「ネーブル沖田を撮っていた。歌手でいるだろう。ぶるぶると両腕をふるわせながら歌うやつ……」

「何かで聞いたことがある。どんな顔か知らないけれど……」

「バッタのような顔をしたやつさ。鼻が長いんだよ。そいつはしかしばかな顔をして歌うだけしかできないんだからいいんだけれど、一緒についてきた滝井とかいうマネージャーがいやなやつでな……」

「うるさいことをいうわけか」

「いや、そうじゃないんだ」

赤毛の女が電話から戻ってきて、ゆっくり水島とベーヤンのまん中にすわった。

「ごめんなさいね。夜更けにまたつまらないことで電話してくるのがいてね……」

女はほとんどカラになっているベーヤンのグラスに氷を入れ、シーバースリーガルを三分の一ほど注いだ。

「羽根木のね、さっき言っていたお店のことだったのよ」

と、女は言った。ベーヤンはうなずき、女は左手を大きくひらき、そいつを額から髪の毛の中に突っこんで指先を立て、しばらく頭の中を静かにかきむしった。

「わたしは思うんだけど、結局ね、女つうのは結局いつも最後は損な役ばかりやらされているのよね。そういうことわかってるつもりなんだけれど、でも結局いつも最後はそうなっていくんだからね……」

女は黙り、ベーヤンもそのまま何も言わなかった。店の天井のあたりで歯切れのいいスネアドラムの音が小さくひびき、フィードルのまるまっこい音がぎゅんぎゅんとうずをまいていた。

そうかフィードルが鳴っているんだから、さっきカントリーウエスタンかと思ったのは間違いでマウンティンのほうだったのだ、と、二人の沈黙の中でふいに大きくなったその音楽を聞きながら水島は自分の中に頷いた。

「ごめんなさいね」

と、赤毛の女が水島の肩に軽く手をあてながら、そう言った。水島にわからない話をベーヤンとしていたことを詫びているようであった。水島はすこし笑い、眼を大きくひらいてうなずきながら、「かまわないから」というような表情をしてみせた。そうしてその時気がついたのだけれど、赤毛の女の声はもうさっきほど乾いた声ではなくなっていた。

ふいに水島は女が泣いているのではないか、と思ったが、赤暗い光の中で、それはあまりよくわからなかった。

「氷まだありますかあ?」

と、カウンターの中で銀チョッキが鼻先声で言った。

二時に「サルーン」を出て、駅前で個人タクシーを拾った。水島はタクシーに乗る前に犬のことが急に気になって、家に電話をしてみようか、と思ったが時計を見てやめた。

ベーヤンは丈のずいぶん長い灰色のコートを着ていた。

「あのな、こいつは昨年の暮にアメ横で買ってきたんだ。安いんだよ、まあ米軍の放出品だけどな。おれは一番大きいのを買ったんだけれどこれで三千八百円だったものな」

タクシーの中で、ベーヤンは窮屈そうにその灰色のコートを脱ぎながら言った。

「ちくしょう。クルマに乗る前に脱いでおけばよかったよ。だけどこうしておかないと降りた時に寒いからな」

ベーヤンも水島もあきらかにすこし酔っていた。間もなく孤独な国家公務員に明け方の取材をするのだから、あまり酒くさいとまずいではないか、ということで、一時すぎたあたりから二人とも薄い水割りにしてもらい飲みすぎないように注意していたのだが、それでも二時間飲んでいたぶんだけ確実に酔いは回ってきているようだった。

　カーラジオから女の唄が聞こえていた。数年前に流行った、女が北の町に帰っていく唄であった。べとつくような声をふるわせて、女は「春になっても私はもう帰ることはありません」と車の中の酒くさい闇の中で小さく絶叫していた。同じ女の唄が三曲続き、早口の男が高い調子でなにかせわしなく自分の感想のようなものを喋りはじめていた。ベーヤンは膝の上に丸めた三千八百円の灰色のコートに身をかがめて早くも寝てしまったようであった。睡ってしまうと起きて車の外に出た時におそろしく寒くなるだろうな、と思った。しかしヒーターのきいたシートに体をゆだねて、早口で喋りまくる深夜のラジオの男の声をぼんやり聞いていると、なんだかそれは機械仕掛けの喋くり人形が何回も何回も同じことをくりかえして喋っているようで、水島もしだいに睡くなっていった。

　東京天文台の入口に入るあたりで二人は運転手に起こされた。タクシーのヘッドライトの光芒の中に白い看板が浮かびあがり、その周囲は真黒な雑木林がひろがっていた。

「この道を入っていけばいいのでしょうか？」

　と、初老の運転手は穏やかな声で聞いた。背広のポケットからメモを取り出し車内灯をつけて、ひくい声でうーん、うーんと意図不明の唸り声をあげながらベーヤンはメモの中の地図を眺めた。

「ああ、えーとそうですね。この道でいいみたいですね。えーとその左のほうに桜の木が並んでいるあたりまでずっと入っていって下さい」

と、ベーヤンは言った。それからひくい声で、

「ちくしょう、もっとねむりたいな」

と言った。

「まったく」

と、水島がこたえた。

道は砂利敷きの小道でパスンパスンとタイヤの下の小石があちこちに飛び散っていく音が聞こえた。道の両側には松や橅の林が漆黒の闇になってつらなっていた。

しばらく行くと、林の中に数軒の人家が見えてきた。

「桜の木はないですかねえ」

と、ベーヤンが言った。

「桜の木ですか」

「ちょっとした並木になっていると言ってましたけどね」

頭の上をひとかたまりの風が飛びすさっていく音が聞こえた。

「あっ、あれでしょうかね、むこうに大きな木が並んでますね」

「それでしょう。あ、そうだそうだ。これがモンダイの桜の木なんだな。その木の一番手前のところで止めて下さい」

道の右側にまた一軒の人家があった。瓦屋根(かわらやね)の平屋であった。

車が止まると、風の音がいくつもの咆哮(ほうこう)となって頭の上を飛び回っているのがわかった。地表まで舞いおりてきた風は周囲の木立をぶるぶると揺さぶって、それはたちまち車をおりた水島のコートの裾(すそ)にからみついてきた。

ベーヤンが背中を丸め、その家の門をくぐり抜けて玄関に向っていった。時計を見ると三時二十分前だった。

「これから仕事ですか?」

と、運転手が聞いた。

「ええ」

水島がこたえた。

「それですいませんが、我々の仕事が終るまでここで待っていてくれませんか。二時間かそのくらいで戻ってこられると思いますけれどね……」

「あっ、待機ですか?」

運転手はなんだか実に思いがけないほど陽気な声を出した。水島は運転手の言った「待機」というのが瞬間にはうまく理解できなくて、なんとなく都会の煤(すす)けた山羊(やぎ)のようなかんじのする初老の運転手の言葉を反覆した。

「あっ、待っておりますよ」

と、運転手は言った。

「二時間ぐらいですから……」

「いや、何時間でもそれはもう商売ですからね」

と言って、その山羊に似た運転手は自分の目の前で片手をひょいひょいと踊りのようなしぐさで左右に振ってみせた。


土星専門の観測者は清田周一郎という名前だった。清田さんはベーヤンのうしろから全身黒ずくめのクラシックな泥棒のような恰好で闇の中にあらわれた。黒いアノラックに黒っぽいマフラーを顎のあたりまでぐるぐると巻きつけ、やはり黒い毛糸のスキー帽で耳まですっぽり覆っていた。そして背中にぺしゃんこの小さなリュックを背負い、右手に大型の懐中電灯、左手に丸い把手のついたスイートホームの台所あたりに置くと似合いそうな可愛い恰好をした魔法瓶を下げていた。

水島を見つけて、清田さんは「はじめまして……」と、風の吹き抜ける闇の中でびっくりするほど丁寧に頭をさげた。

「寒いから大変でしょう。今朝はとくに冷えますものね」

と、清田さんは言った。今夜ではなく今朝と言ったので、水島は一瞬ためらったけれど、いままで寝ていた清田さんにとってはたしかに今は〝今朝〟なのだろうな、ということに気がついた。

清田さんは四十代後半、痩せてとがった鼻に黒縁の眼鏡をかけていた。

「できるだけお邪魔にならないようにやらせていただきますが、道々話を聞かせてもらっていいでしょうか？」

と、水島は聞いた。

「ははは」と、清田さんは風の中ですこし笑った。

「どっちみちたいしたことしてるわけじゃありませんから、話といってもねえ……」

先に立って歩きだした清田さんのむこうに細い道が続いていた。

「今日は雲がなくてよろしいのですけど、風が強いので果してうまくできるかどうか……」

と、清田さんは背中で言った。

「風があると星は見えなくなるのですか？」

水島は不思議だった。

「ええ、風は駄目ですね」

二階建の小学校の校舎のような建物が林の中に見えてきた。灯りは消えていたが、入口とおぼしきところに赤い警備灯のようなものがついていた。清田さんはポケットから鍵の束を出し、その中の一つで大きなドアをあけた。

「ここで写真の乾板を取っていくんです。面倒とは思いますが一緒に中へ入ってこられませんか。外は寒いですからね……」

建物の中も学校のようなつくりになっていた。二階の作業準備室に入り、清田さんはなにか非常に精密な時計のようなものと、ノートぐらいの大きさの重そうな木の板を三枚ほど抱えてきた。その板が天体望遠鏡に装備して撮る写真の乾板のようであった。

「これは重いんですよ。だからいつも背負っていくんです。昔は抱えていったんですけどね……」

清田さんはそこではじめて水島とベーヤンの顔を正面から見ながら言った。

部屋の中はスチール製の机と古めかしい木製の机が交互に並べられており、そのいくつかには白熱ランプの電気スタンドが置かれていた。窓ぎわにあとからくくりつけたようなかんじで場違いに立派なステンレスの流し台があり、その隣のガス台には大きなやかんがのっていた。

「ふだんはこの事務所にいるわけなんですか?」

部屋のまん中の火のついていない石油ストーブの前に立って、水島はひととおり部屋の全部を眺めながら清田さんに聞いた。

「ええ、まあたいがいはここにいますね」

「するとこの部屋の皆さんはみんな土星の研究をしているというわけですか？」

「いや、そんなことはないですよ」と、清田さんは黒いマフラーとスキー帽に覆われた顔をゆっくり振ってみせた。口まで覆っていたマフラーが顎の下にズリ下がり、清田さんの顔がはじめてよく見えた。明るい電気の下で見る清田さんはやはり歳(とし)のほどに顔や喉(のど)に深い皺(しわ)を刻んでいた。しかしそれは天文学者というよりは農村の人のいい民生委員というようなかんじでもあった。

「ここには十六人の職員がいますが土星は私だけで、みんなそれぞれ別の星を専門に担当しているわけです」

「あの、この中の様子、写真に撮っていいですかあ？」

ベーヤンが肩からぶらさげた黒いカメラをコツコツと指先で叩いた。

「かまいませんよ。でもここには別に何もありませんけどね」

「いや、それでいいんです」

言いおわるのと同時にベーヤンの自動巻上げ式のカメラが鋭い連続音をたてはじめた。

「するといまの時期は毎日こんなふうに真夜中におきて土星の観測をして、そうしてそれが終ると早朝にまたこの事務所に出てきているというわけですか」

「ええ、まあそういうことです」

「大変なことですね」

「慣れてしまえばおなじです。夕方の六時には寝てしまいますから睡眠時間もきっちりとれていますしね……。そうだ。よかったら行く前にコーヒーでも飲んでいきますか。即席コーヒーですけどね」

と、清田さんが聞いた。

「いや、けっこうです」

ベーヤンの顔と流しの隣にある大きなやかんを順に眺め、水島は遠慮した。いまから湯を沸かすのは面倒だし、なんだか一刻も早く望遠鏡で土星を見たい、という気がしてきたのだ。

「ここに一応むこうで飲むお茶はありますけどね……」

清田さんは丸い把手のついた魔法瓶を指さし、農夫のように素朴に笑った。

「こういう時間だと朝食というか、つまり起きてすぐの食事はするんですか?」

「ええ、この時期はいまの時間がわたしたちの朝ですからね。軽くあたたかいものをたべていきます。腹に何か入っていないと寒いですからね」

「すると奥さんも一緒におきて……」

「ええ、以前はそうでしたけれど、最近は変えました。学校へ行く子供がいますから一人はそっちの方に合わせていないと……」

ひゅんひゅんひゅんひゅん、とベーヤンのカメラが部屋の中の清田さんの顔を至近距離からとらえた。

「すごいんですねえ」

清田さんはカメラの前ですこし困ったように眼をしばたたいた。それから自分の天体写真用の三枚の大きな乾板をリュックサックに入れ、ゆっくり背中にしょった。

「奥さんも時々一緒にきて土星の観測を手伝う、というようなことはないんですか？」

つまらない質問だとは思いながらも、もしやということを期待して水島は聞いた。

「いや、それはないですよ。そんなことは……」

と、清田さんは再びマフラーをぐるぐると顔の下半分に巻きつけながら、くぐもった声でそう言った。

その建物を出ると道はまた林の中に入った。ひょうひょうと風がずっと空の上のほうを何本もの細長い川の流れのようになってとびすさっていった。

「見て下さい。この道はちょっといいんですよ。ずっとむこうに大きな星が三つ光っていますね」

林の中で立止まって、清田さんは前方の空を指さした。

「上から順に火星、土星、木星です。今はこの三つの星がこんなに接近しているんです」

「まん中のが土星ですか」

と、ベーヤンが言った。そこに来るまでベーヤンは大きな灰色のコートの中に首をうずめ背中を丸めたままあまり話をしなかったのだが、ようやく寒風の中に体が慣れてきたようであった。

「まん中のが土星です」

と、清田さんは同じ言葉をくりかえした。

目の前にはじめて見る土星があった。しかしその土星は他の沢山の星とあまり変らず、上と下にある火星と木星ともほとんど区別がつかなかった。

「毎日この時間に一人で土星を見に行くわけなのですね」

水島が聞いた。

「ええ、いまはね、この時間です。しかし星は動いていきますからね、これからはもっとどんどん遅い時間になっていきます。そうして春になる頃は、ずっと地表近くになってしまうんです。だからその頃はもう観測できません」

「うーん」

と、ベーヤンが風の中で唸った。しかしそれはどうも必要以上というような力の入った唸りかたなので、なんだか水島はおかしかった。

その道をさらに進むと両側の木立が屋根のように左右から迫ってきて、あたりはまた濃い闇（やみ）になった。清田さんは懐中電灯を下にむけ、水島とベーヤンの足もとを照らしながら歩いた。

「このあたりの道はね、両側に草が繁（しげ）っているでしょう。だから夏になるとヤブ蚊が多いし、それからよく野犬の群が突進してきたりして、あまり気持のいいところじゃないんです」

「野犬は人を襲ってきたりするのですか？」

「人を襲うということはめったにないですけれど、でもわかりませんからね」

　野犬の群と聞いた時に、水島は家で死にそうになっている犬のことをまた思いだしていた。

「ひゅうひゅうひゅうひゅう」と喉の奥からしぼりだすようにしてあえいでいた三歳半の柴犬の息づかいが急速に耳の中によみがえってきた。

　美也子は今夜が峠だと言っていたけれど、峠というのは果して何時頃のことを言うのだろうか。腕時計を眺めてみたが、闇の中でそれはほとんど見えなかった。

　そうだ、もう三時になる頃だ。あの犬は水島の家の居間の隅でまだあえいでいるのだろうか。あるいは、なんとか快方にむかっているのだろうか。そのそばにまだ美也子は起きてすわっているのだろうか。水島は歩きながら耳もとに残っている柴犬のあえぎ声をもう一度思いだそうとした。しかし頭の上に覆いかぶさっている木の枝が、吹きつけてきた突風の中でびょうびょうと悲鳴をあげ、その音の中でさっきの犬のあえぎ声はもううまく耳に戻らなくなってしまった。

　林の中に十字路があった。先頭の清田さんは「さあ着きましたよ」と言ってそこを右に曲り、水島とベーヤンは眼の前の闇の中にいきなり巨大なドームが屹立しているのを見た。ドームは夜の闇よりも濃く、その輪郭を威圧的に黒々と浮き立たせていた。大釜を伏せたようなドームのてっぺんまで三十メートルぐらいはあるだろな、と水島は思った。当然なのだろうけれど、むかし、小学校の理科の教科書か何かで見た天文台そのものの恰好をしているので水島はなんだか意味もなく嬉しかった。沢山の松の木がドームに寄りそうようにして生えており、風が吹きつけてくると黒い波になって激しく揺れた。丸いドームのむこうに冬の北側の空の小さな星がいくつかまばらに見えた。

「大きいものなんだなあ」

と、風の中でベーヤンが言った。

「どうぞ、いいですよ」

清田さんが天文台の入口のあたりで懐中電灯を小刻みに振りながら言った。

頑丈な鉄製のドアを開けると、清田さんはすぐにかたわらにあるスイッチを入れた。狭い通路の天井に豆ランプほどのあかりがついたが、トンネルのようになっている通路の奥は闇のままであった。豆ランプがつくのと同時に、ピッピピッピピッという電子的な断続音がびっくりするほど大きな音であたりに鳴りはじめた。

「この音はなんですか？」

ベーヤンが聞いた。

「時間です。秒を音で刻んでいるんですよ」

懐中電灯で足もとを照らしながらどんどん奥に入っていった清田さんが、トンネルの壁に重くひびく声で言った。

「暗いですから足もとに注意して下さい」

そう言って、清田さんは素早くらせん状の階段をのぼりはじめた。入口のトンネルの中に入ると、外で吹き荒れる風はずっと遠くの海の音のように聞こえた。狭いらせん階段を三階分ほどのぼっていくと、ドームの内側の屋根がぼんやり見えてきた。中から見るとドームはさっき見たよりももっと大きなまるい空間になっているのがわかった。

らせん階段をのぼりつめた先に円形の大きな回り舞台のような台があり、そのまん中に黒く巨大な屈折式望遠鏡が、おとなしい恐竜のように闇の中で沈黙していた。

　三人は望遠鏡を見上げてすこしの間、黙りこんだ。ドームの外側に風がぶつかり、小さな気流が見えない渦をまいていく音がゴンゴンと恐ろしげにひびいた。入口のトンネルを通ってくる時にいっとき風の音が小さく聞こえたのだけれど、ドームの下にくるとそのまるい空間が特殊な音の増幅効果をもたらすようになっているのか、今までここにくるまでの間に聞いたどの風の音よりもすさまじい咆哮になっていた。

　清田さんが円形の床の隅に行き、スイッチをつけたままの懐中電灯を壁にぶらさげた。懐中電灯の小さなあかりに照らされて、汽船の操舵輪のような大きなハンドルが闇の中に浮かびあがった。一メートル大の巨大な輪は人間の頭のあたりの高さにあって、清田さんはそいつに立ちむかうようなかんじで取りつき、力を込めてゆっくり回しはじめた。ハンドルの先の歯車からドームの天井に向って何本かのワイヤーが延びていって、そのうちの幾本かがきりきりと張りつめると、やがてずっと上のドームの片すみに、青くて細い線が突然「ぴっ」と出現した。青い線はワイヤーの軋む音の中で急速に左右に大きく切り裂かれ、一瞬青く見えた一本の線はたちまち夜の空の濃い闇の中に同化していった。

しかしそうしてドームの片側にあいた幅三メートル、長さ十二、三メートルほどの細長い窓から外を見ると、夜の空というのは思いがけないほど明るいのだな、ということに水島は気がついた。

早くも風がその窓から入りこみ、すばやく下までおりてきてドームの内側をぐるぐる回りはじめているようであった。じっと立って上を見あげていると、寒さはざくざくと容赦なく足もとから背筋にかけて急速に這い上ってきた。わずかなあかりの中でベーヤンと水島の白い息がドームの中の風に大きくひろがり、霧のようになって流れた。外を歩いていた時よりもドームの中のほうがはるかに寒いと感じるのが、水島には不思議だった。

ドームの上に観測窓をあけた清田さんが水島たちの方に戻ってきた。懐中電灯の光を背にしているからなのか、ハンドルを回してきて体があたたまっているからなのか、清田さんは盛大に白い息をドームの中の風に流していた。

「なにしろこの装置は五十年前のものですからね、どこもかしこも軋んで音をたてるんですよ」

清田さんは毛糸の手袋をはずしながら言った。それからすぐもう一方の隅に行って、何かの機械装置のスイッチを入れた。そして、

「床が回りますからちょっと注意して下さい」

と低い声で言った。同時に水島たちの立っている円形の床が望遠鏡ごとゆっくり回りはじめた。電動の油圧装置で動くようになっているらしく、ドームの上にあけた窓にむけて、そうやって丁度いい位置に望遠鏡を動かしていくのであった。

おおよその位置が決まると、清田さんは回転する床のスイッチを切り、今度は望遠鏡の下にとりついた。そして望遠鏡の下のもうひとつの小さな起動装置のようなものを手に取った。それは昔なにかのマンガにあったロボットを動かす操縦装置の小さな箱に似ており、太いコードで巨大な望遠鏡の支柱のあたりにつながっていた。

清田さんは慣れた手つきで小箱のスイッチを入れた。すると支柱のあたりについているモーターが回転し、同時に望遠鏡は全身をすこしふるわせ、ゆっくりその巨大な筒を動かしはじめた。なんだかそれはいままで首をうなだれてじっと黙りこくっていた恐竜が、ぎりぎりと唸りながら、何かの目的に向って緩慢に体を動かしはじめていく姿に似ていた。

清田さんは起動装置の縦と横の動きを複雑にあやつって、間もなく、窓の外の冬の夜空にその巨大な望遠鏡の筒先を向けた。

「寒いですか?」

と、清田さんは望遠鏡の接眼部のあたりに取りつけられている照準用の小さな望遠鏡を覗きこみ、自分もしきりに白い息を吐きながら言った。

「寒いですね。なんだか外よりも冷えているみたいですね」

「本当にここはそうなんですよ。そうだそうだ、いま、いいものをさしあげますからね」

清田さんはいくつかの接眼レンズを木箱にしまい、それから自分の黒いアノラックのポケットに片手を突っこんで、COOPの使いすてカイロをひっぱり出し、水島とベーヤンにそいつを一袋ずつ渡した。

「これをね、よく揉んでね、お腹のあたりに入れておくといいですよ。便利なものができて有難いですよね」

水島とベーヤンは礼を言い、手袋をはずしてその袋を揉んだ。闇の中で三人の男が向いあって熱心に小さな袋を揉み合っている、というのは不思議な光景かもしれないな、と、その時水島は思った。

「土星は眺められそうですか?」

水島が聞いた。

「もうすこしたつと風がいくらかおさまるかもしれません。そうしたらできますけれど、でも今はおそらく駄目ですね」

「そうですか。しかしそいつはどうも残念だな」

水島は落胆を隠さずにそう言った。眼の前に土星が見えるのに、そしてこんな巨大な望遠鏡があるというのに、どうしてそれで土星を見ることができないのか、水島はその理由がまるで理解できなかった。

「いや、ただ覗いてみるだけなら大丈夫ですよ」

と清田さんが言った。水島は黙って清田さんのアノラックと毛糸の帽子の中の生真面目（きまじめ）な顔を見た。

「私の場合は写真を撮らなければならないでしょう。星の撮影は露光時間が長いから風が強いと揺れてしまって、まったく使いものにならないのです。だから駄目なんですね」

ああそうか、そうだったのか、と水島は思った。

ふいに水島の背中のうしろから閃光（せんこう）がはじけとび、目の前でくっきりと静止した黒ずくめの清田さんが闇の中に非現実的な白さで浮かびあがり、そして消えた。ベーヤンがキャノンF1のモータードライブを作動させたのだった。

「覗いてみますか？」

と、清田さんは言った。

「ええ、おねがいします」

「それじゃあセットしてみますからね、すこし待って下さい」

そう言って清田さんは腰をかがめて照準鏡を覗きこみ、ロボットの操縦機のような起動装置を再び小刻みに動かしはじめた。その作業をベーヤンがするどくストロボを照射して追っていく。ドームの外側にまたひとしきりすさまじいうなりをあげて風のかたまりが体あたりし、ゴンゴンと球形の壁をころがりながら飛びすさっていく音が聞こえた。清田さんから貰ったCOOPの使い捨てカイロが腹のあたりですこしずつ熱を放射しはじめているのがわかった。しかしどうもさっきよりもまた激しく冷えてきたような気がした。コートの襟を立て、マフラーを持ってくればよかったな、と水島は悔やんだ。

清田さんは巨大な屈折式望遠鏡の下の小さな椅子にすわり、接眼レンズを別のものと取りかえていた。

（そうか、あれはシルクロードの仏像だったんだ）

ふいに何の脈絡もなしに、数時間前東中野のスナックで思い出せなかったX脚の仏像の名前が水島の頭に浮かんだ。それは中国の西、敦煌の莫高窟にある「交脚弥勒菩薩」の足の組みかたなのだった。西域とその歴史の世界に憧れていた美也子は、沢山の美術書を持ってきて息をはずませながら、その莫高窟という妙な名前の洞窟に座っているという、足をX型に組んだ菩薩の写真を何度も水島に見せた。おかげで水島はその難しい交脚弥勒菩薩という名前をすっかり憶えてしまったのだった。

「四千年もね、この菩薩はここにこうして座っていたのよ、ね、あなた四千年も座っていたのよ」と、美也子はくるくると眼を動かしながらそう言った。「そうしてその仏像はアジア文化とヨーロッパの文化を同じくらい体の中にためて、そうしてその東西文化の交流がX型に組んだこの足の形にあらわれているのよ」と、美也子は一方的に感動しながら学校の教師のように水島に何度もはずんだ声でそんなことを説明した。あまり興味はなかったけれど、それでも一応熱心に水島も美也子の話を聞いていたのだ。結婚してまだ一年か二年の頃のことであった。

水島はその時、美也子に土星の話をした。望遠鏡でいつか土星の輪を自分の眼で見るのがまあちょっとした自分の夢なのだ、と水島はそのロマンに自分ですこし酔いながら美也子に話して聞かせた。

「土星までは十二億五千万キロなんだ。四千年もすごいけど、十二億五千万キロの彼方の世界のほうがおれは凄いと思うよなあ」と水島は言った。美也子はその時は自分もぜひ土星を見たい、と言った。西域へ行くのはなかなか大変だけれど、土星は望遠鏡を買えばすぐ見ることができるのだから、そっちの夢はわりあい簡単にかなえられそうね、と美也子は言い、屈託なく笑ってみせた。

「さあ、けっこうですよ、どうぞ覗いて下さい」

と、清田さんが望遠鏡の下から天文学者の声で言った。

「見えますか」

「ええ、やっぱりすこし揺れていますけれどね」

清田さんは手袋を脱ぎ、壁の懐中電灯の光にいやに白っぽく見える手を胸の前で激しくこすりあわせ、自分の息を吹きつけながら立ちあがった。

清田さんに替って水島が丸い椅子に腰をおろし、全体が巨大なわりにはいやに頼りなげな小さな接眼レンズに片眼を押しあてた。

丸くて平板な視野の中に土星が浮かんでいた。それは思いがけないほど茫洋として、扁平な輪郭をみせ、鈍く光っていた。

ああ、土星だ、と水島は思った。

土星の丸い輪はすこし斜めに傾き、輪の一部は黒い影になっていた。ぐおんぐおんと、頭の上でひとしきりまた風が暴れまくり、丸い視野の中で土星がかすかに揺れた。

「衛星が見えるでしょう。チタンとレアが大きく見えていますよ」

と、清田さんが言った。すぐには気がつかなかったけれど、土星のまわりに小さな光る球がいくつか見えた。それは不安定な宙空で互いに静止し、それぞれがあたりの様子をじっと静かに窺っているようでもあった。さらによく見ると視野のすみぎりぎりに、ホコリのように黄色く光る点があり、それもやっぱり土星の衛星のようであった。水島は初めて自分の目で見る土星の姿に息をつめた。土星のまわりに静止している沢山のキラキラと輝く小さな衛星はまったく予期していなかっただけに、それらの姿にはとりわけ感動した。

土星が虚空の中でたったひとつ光っているのではなくて、沢山の衛星をその回りにちりばめている、というありさまはなんだか思いがけないほどこわい光景でもあった。そしてまったく唐突ではあったけれど、水島の覗いている丸い視野の中でひときわ光るちょっと大きめの衛星がまるで美也子のようではないか、と思った。そいつはどぎまぎするほど輝きながら、丸い視野のすこし上方に静止し、土星をじっと見つめているようであった。

その下でぼんやり浮かんでいる土星はやっぱり自分なのだろうか、と水島は瞬間的に子供じみたはめ絵ごっこのような世界にひたった。すると、あのチビスケがさちえで、ずっと下のホコリのように黄色くポツンと光っているのが犬のケンだ、と水島はすこし苦笑するような気分で思った。

ドームの中にまた風が吹きおりてきたらしく、丸い視野の中で土星とその小さな衛星たちが激しく揺れた。つま先のあたりに冷気が集まり、それはじんじんと鈍く重く痛みはじめていた。

望遠鏡に一切触らなかったつもりなのだが、気がつくといつの間にか土星本体がさっきよりも視野のはるか上の方にずれてしまっていた。

「うっかり動かしてしまいました。土星がすこしズレてしまって……」

と、水島はすこし慌(あわ)て、清田さんに訴えた。

「いや、星が動いてしまったのでしょう」

清田さんの声は水島のずいぶんうしろの方から聞こえた。水島は振りかえり、清田さんの姿を捜した。清田さんは円形テーブルの隅で懐中電灯を照らし、何か小さな手帳のようなものを熱心にのぞきこんでいた。水島がもう一度望遠鏡を覗くと、もう丸い視野の隅に土星の姿は三分の一ほども隠れてしまっていた。水島はなぜかそこですこし眼の奥がくらくらするのを感じた。

丸い視野の中を思いがけないような早さで急速に動いていく土星に水島は驚いていたのだ。漆黒の宙空に沈黙して浮かぶ土星とそのまわりに白く光る衛星たちが、ぼんやりしているとどんどん自分の視界から消えていってしまう、ということが水島にはひどく意外であり、そしてざわざわと苛立たしかった。

じっと見ていても動いていくさまはわからなかったが、しかし水島の見ている前で、いつの間にか確実に土星は丸い視野の中を動いているのだった。

丸い視野の左の隅に動いていった土星を再びまん中にとらえ直そうとしたが、巨大な望遠鏡の操作がわからなかった。水島は動いていく星を追って自在に望遠鏡を動かしていくことができないことがもどかしかった。

「調整しましょうか?」

と、清田さんが言った。

「それを覗いていると地球が動いているのがわかるでしょう」

明けがたの冷気の中でさすがにすこし清田さんの声はふるえているようだった。

あ、そうなのか！　と水島は思った。

土星が動いていくのではなくて、自分の方が動いていたのだ。

そうだったな、まさしくこれはコペルニクスの地動説だったんだよな、と水島は思った。

ふいに水島の頭の中をだまって通りすぎていく美也子の気配が横切っていった。コペルニクスだコペルニクスだ、と水島は意味もなく頭の中で反芻した。

清田さんの持ってきた魔法瓶には熱いほうじ茶が入っていた。プラスチックの、蓋と兼用のコップで、かわるがわるそれを飲んだ。

「手がねえ、すっかりかじかんでしまいましたよ」

ベーヤンがカメラを首からはずしながら、ほうじ茶の入っている魔法瓶の隣に腰をおろし、すこしくたびれた声で言った。

「何時ですか？」

「もうじき四時になるところですよ」

「ああ、ようやくすこし風がおさまってきたようですね。冬の北風というのは不思議に明け方近くなると静かになってくるんですよ」

清田さんはほうじ茶をひと口飲み、ドームの上の細長い観測窓を眺めた。ほうじ茶の熱い湯気が清田さんの顔の下を素早くかすめて空中に散っていった。

「土星をはじめてこの眼で見ましたよ」

と、水島が言った。

清田さんはそれには何も答えず、薄闇(うすやみ)の中ですこし笑ったようであった。

「十八年間、ずっとこの望遠鏡で土星を観測してきたわけですか?」

「ええ、この五十年前の望遠鏡でね、ずっと観(み)てきました」

「写真に撮るわけですね。主(おも)に土星の何を観測しているんですか?」

「わたしたちは主に土星の衛星について調べているんです」

「わたしたちというと、やっぱり何人かでチームを組んでいるんですか?」

「ええ。もう死んでしまった人もいますけれどね」

ベーヤンがカチリと煙草(たばこ)に火をつけた。この薄闇の中でもう大分眼が慣れていたけれど、ライターの火はこうしてみるとなんだかあられもないほど明るく見えた。

「何人ぐらいのチームなんですか?」

水島は聞いた。

「何人って、いつも観測しているのは一人ですよ。今は私が観ていますが、私の前に一人、そうしてその前に一人。その人はせんだってなくなりました」

「あっ、チームといっても、そういうふうに受け継いでいくチームということですか……」

「ええ、ながいながいリレーのようなものですよ」

水島は黙り、懐中電灯のあかりの中でベーヤンの煙草のけむりが吐く息よりもはるかに青く、空中に流れていくのを眺めた。

そうか、そういうチームなのか……、水島はすこし感動し、改めて清田さんの横顔と巨大な望遠鏡、そしてドームの上の細長い観測窓を順番に見ていった。

「そういうながいながいリレーで、何を受け継いでいくのですか」

「写真です。長い時間の中で変化していく土星の衛星の動きを、昔の写真の位置と比較して研究していくというわけなんです。だから私のいまやっている仕事は、私のもっとずっとあとの人のための仕事でもあるんですよ。どっちにしても気の長い、一般の人には退屈な話です……」

清田さんはそう言って、毛糸の帽子の上から自分の頭をごしごしと掻いた。

「十八年ですか?」

「え?」

「十八年ずっと土星を観ているわけですね」

「ええ」

ベーヤンが煙草を靴のかかとで踏み消し、再びカメラを首にぶらさげて撮影の準備をはじめた。

「アメリカのロケットが土星の写真を沢山撮ってきたでしょう。ああいう至近距離からの土星の写真を見るとどんな気持がしますか。何かくやしい、という気持にはなりませんでしたか？」

　と、ベーヤンが聞いた。

「いやあ、別にそんなことはないですよ。ボイジャーが土星をとらえたのはほんの一瞬のことでしょう。私は十八年間の土星の動きをずっと知っているんだ、という自負みたいなものが、まあ一応はありますからね……」

　外は本当にさきほどより風がおさまってきているようであった。そして空がほんのすこし明るくなってきたような気がした。

「しかし寒い、本当に寒いですねえ」

　ベーヤンがたまりかねて、腹の中のほうからしぼり出すような声をあげた。そうして座ったままの清田さんにカメラをむけて、たて続けにストロボを光らせた。

　清田さんは立上り、接眼レンズにとりついてまたこまかく望遠鏡を動かしながら言った。

「一枚でも撮れるといいんですけどね」

「いつもここで、一人でどのくらいの時間仕事しているのですか？」

「季節によってもちがいますが、冬場はだいたい二時間ぐらいでしょうかね」

　風がおさまってくるのにしたがって、ドームの中にピッピッピッピッという秒を刻む電子音が大きく響くようになってきた。ベーヤンが水島の隣にやってきて、「どうかな？」というような表情をした。

「まあおれの方は大体いいよ」

と、水島は言った。

「第六衛星のチタンが今日はずいぶんきれいだあ」

と、望遠鏡の下で清田さんがはじけるような高い声をあげた。

水島はさっき空がすこし明るくなったようだ、と思ったのだけれど、ドームの外に出てみると、外はまだ冬の夜の濃厚な闇の中であった。清田さんはドームの入口まで出てきて、最初会った時と同じように丁寧なおじぎをした。夜はまだちっとも明ける気配はなかったけれど、風はあきらかに急速におさまってきていた。

「それでは有難うございました」

水島が清田さんに礼を言った。

「おつかれさんでした」

と、ベーヤンが三千八百円のコートの襟をぎゅっと胸もとに引き寄せながら、変にかすれた声をはりあげた。

「本当に懐中電灯がなくて大丈夫ですか?」

と、清田さんがまた言った。清田さんはなんとか写真を撮れそうなのでもうすこし残って仕事をしていくことになった。暗い道だから懐中電灯を持って送っていきましょう、という清田さんの申し出を、「それではあまりにもすまないから」と水島たちは丁重に遠慮したのだ。

「大丈夫です。もうすっかり闇に眼が慣れましたから」

と、水島は星のあかりの下で頭を下げた。

清田さんと別れて、水島たちはしばらく黙って林の中の道を歩いた。

「あの人はたしかに間違いなく『ひたすらの人々』だったな」

ベーヤンが大きな声をはりあげた。寒いから自然とそんなふうに大きな声になってしまうようだった。

林の中の道を歩きながら、さっき清田さんが「このへんでよく野犬の群に会うのです」と言っていたことを思いだし、再び水島は家で死にそうになっている柴犬(しばいぬ)のことを考えた。今まですっかりそのことを忘れてしまっていたのがなんだかとてもすまない気がした。

「うちの犬がね、実はいま死にそうなんだ」

と、水島はベーヤンに言った。

「そうか」

先に立って歩きながらベーヤンが大声で答えた。

「なにかヘンなものを食ってしまったらしいんだ。血を吐いていたよ」

「子供がかわいそうだな。犬はたいてい飼い主よりも先に死んでしまうからな……」

「そいつはまだ三歳半なんだ」

「そうか。まだ若いんだな」

歩きながら水島は、あの犬を買った坂下商店街の犬屋が結局あれからずっと「血統書」を送ってこなかったではないか、ということをふいに思いだした。しかし送ってこなければ来ないでそれは別にどうでもいいことのような気がした。

犬を買って帰った日に、水島はあまり気分のよくない五万円の金を貰ったので、拾った金のつもりでこいつを買ってきたのだ、と美也子にあとで知らせた。

「ずいぶん唐突ね」

と、その時美也子はほんの一瞬頰のはじのほうをこわばらせたような気がした。しかしはっきりとはわからなかった。ただそれからすこしたって、

「そんなに意固地になることはないじゃないの、五万円は五万円で、いま私たちの家にそれは貴重なものだわ……」

と、美也子はあきらかに悲しげな顔をして言った。

「おまえは男の気分がわからない女なのだ」

と、水島は言った。

美也子はそれにはこたえず、じっと水島の顔を見つめてなぜか頭を激しく振った。パーマ

をかけた長い髪の毛がばさばさと目の前で大袈裟にゆさぶられ、その前で水島は急速にくたびれはじめていた。

そのことがあってから水島は犬の血統書などどうでもよくなってしまった。血統書付きの野良犬を育てる、というしゃれはどうも美也子には通用しないだろう、と思ったからだ。

そうして犬屋も、いったん売ってしまえばどうでもいい、とばかりにずっとそのあと連絡ひとつしてこなかったのだ。

水島は犬屋のどろんとしてつかみどころのない顔を思いだし、唐突にすこしだけ苛立った。それから何の関連もなしに藤本の顔が思い浮かんだ。明日、とりあえず藤本にこのことを連絡しなければならないな、と思った。藤本の顔を思い浮かべると、すこし気分がくたびれるような気がした。そうか、藤本のマバタキの多い顔は黙っているとものすごく疲れる顔なんだな、ということに水島はそのときはじめて気がついたのだ。

「これからどうするんだ?」

と、水島は前を歩いていくベーヤンに聞いた。

「おれはちょっとまたあの店に寄ってみるよ。まだ片づかないことがあってな」

ベーヤンは大きなコートの中に顔をうずめ、あきらかにくたびれ切った睡そうな声でそう言った。

「あの髪の毛の赤い女は美人だったたな」

「ああ、あれも昔は女優だったんだよ。その時期は短かったけれどね」

「そうか」

「おまえは家に帰るだろ。幹線道路まで出たらおれをおろしてくれればいいよ、空車を見つけてのんびり行くから……」

　東中野から乗ってきた個人タクシーは、ひくくエンジンの音をひびかせながらさっきと同じところにとまっていた。初老の運転手は風呂敷(ふろしき)を肩に羽織ってぐっすり睡りこんでいた。

　家に着いたのは五時すこし前だった。水島は静かに入口の鍵(かぎ)をあけ、なんとなく深呼吸のようなものをひとつしてからドアをひらいた。玄関に入ったとたんに「ひゅうひゅうひゅう」という犬のあえぎ声が聞こえてくるのではないか、と思ったのだが、家の中は静まりかえっていた。居間の戸をあけると、さっき犬がこたつに入っていたあたりに電気スタンドが置いてあり、犬も人の気配もなかった。水島はそのまま居間を抜け、台所に行って水道をひねり、コップに半分ほど水をのんだ。冷たくて喉(のど)の奥が痛かった。そのままなんということもなく風呂場をのぞいてみたが何も変ったことはなかった。

　コートを脱ぎながら二階に上っていった。仕事場兼寝室になっている自分と美也子の共同の部屋のドアをあけると、水島の入ってきた気配に気づいたらしく美也子がベッドからおきあがるところだった。

常夜灯のわずかなあかりの中でも美也子の顔は疲れ切っているのがわかった。仮眠のつもりがつい睡ってしまったらしく、セーターとスカートを着たままであった。

「ケンはどうした？」

と、水島は聞いた。

美也子は薄闇の中で眼をこらし、すこし頭を振って水島の言っていることをいそいで理解しようとしているようだった。それから小さい声であわてて言った。

「あ、ケンはね、死んでしまったのよ」

かすれて喉が苦しそうだった。

「血を吐いてね、血のかたまりを吐いて、それでおしまいだったわ」

「犬はどこにいる？」

「山浦さんが持っていったわ。獣医大学で解剖したほうがいいだろうって……」

水島は脱いだコートを椅子にかぶせ、その上にすわった。

「原因はなんだったんだろうな？」

美也子はそれには答えずベッドの上に放り(ほう)なげてあったオレンジ色のカーディガンを黙って肩に羽織った。

「可哀相(かわいそう)な死に方だったわ」

窓の外の通りを自転車が走っていく音が聞こえた。ああ、もう新聞配達の走り回る時間なんだな、と水島は思った。

「さちえはどうした？」

「悲しんだわ。でもねむった。あの子も疲れたんでしょう」

コートで覆った椅子から足を投げだし、水島はその時やみくもに酒がのみたい、と思った。ベーヤンはもう東中野のあの狭いスナックに着いただろうか。あの赤毛の女はまだ店にいて酒をのんでいるのだろうか。酒をのみながら唄でもうたっているのだろうか……水島の頭の中にさっきの風景が勝手に浮かんできてそれはせわしなくくるくると回って消えた。

「さちえは初めて自分が自分の力で愛していたものが死んでしまうのを見たんだな。だけど、犬は人間よりいつでも先に死んでいくんだ。しょうがないよ。犬なんだからしょうがないよ」

水島のひくい声もすこしかすれていた。――夜明けにぼそぼそと男と女が喋る時はかすれた声になるものさ……と、昔、髪の毛の長いフォークシンガーがそんなことをうたっていたのを突然思いだし、水島はすこしの間ぼんやりした。

「あなたはいつもそればっかりなのね……」

美也子はベッドに座りなおし、そこではじめて水島の顔を薄闇の中で見つめた。それから頭が痛いのか、あるいは気が高ぶってきたのか、左のこめかみのあたりを指で押さえ、黙りこんだ。暖房を切った部屋の中はひどく冷えこんでいたが、しかしさっきまでの天文台のドームの中よりははるかにましだ、と水島は思った。

水島と美也子はそのあとずっと黙りこんだ。

「今日、はじめて望遠鏡で土星を見たよ」

と、しばらくしてから水島は気分を変えてすこし陽気な声で言った。しかし美也子は黙ったまま、こめかみを押さえ続けていた。

水島の正面に十センチほどひらいているカーテンの隙間(すきま)があった。眼(め)をこらすとそこから外が見えた。水島はその隙間から窓の外の闇をしばらく眺(なが)めていたが、常夜灯のわずかなあかりが反射して外の様子はあまりよくわからなかった。椅子からゆっくり立上り、カーテンをあけた。それからガラス戸に顔をくっつけて外を眺めた。今度こそすこしぐらい明るくなっているだろうと思ったが、外の闇はまったく変らず、駅のほうのひくい空に、ありふれた星がいくつか宙天にへばりついているのが見えるだけであった。

あとがき

何年かのへだたりの中で、そのつどの思いにとらわれて書いた短編小説を一冊の本にまとめるとき、知らないうちに自分の中を通過していった小さな〈思いの歴史〉といったものを否応（いやおう）なしにまとめて知らされる、ということになります。

一編一編を書いているのはまさしく同じ自分自身なのですが、あの時の自分とこの時の自分と、それぞれの思いの中の自分は微妙に別々の自分で、書き手としてのぼくはそのあやしい距離のへだたりに思わず「うーむ」と唸（うな）ったりするのです。

この本の七編の小説をまとめてゲラ読みしたとき、まさしくこの七編にもそれぞれ別の思いにとらわれた別々の自分がいて、けなげに真剣にその時々の風景や人間たちとたたかっているのを知り、それぞれの自分たちについつい「ゴクロウサン」と言ってやりたくなるのです。

この本ではひどくノスタルジックな自分と、やや困惑気味の、ついこないだの自分とが二大分離しているようですが、「コッポラコートの私小説」だけ、文体も思いもちょっと異質で、どうもこれだけがひどく全体の調和を乱しているような気がします。でもあの時は本当にノイローゼ気味だったので仕方がないのです。逆にいうと、まあつまりそれだけ小説というのはそれぞれの背後の自分というのがあらわになってしまうものなのだなあ、ということにつくづく気がつく、というわけなのでもあります。

小説というのはやっぱりこわいものです。だからそのことに気づいた目下の自分はよくそんなものをヒトサマに読んでくれ、なんていえるなあ、と小説家としての自分のあつかましさに少々あきれ気味で、職業とはいえこまったものだ、と思ったりしています。

一九八九年一月

椎名誠

黄砂の夜に椎名誠

夢枕　獏

この短編集の中に収められている作品を〝私小説〟と呼んでいいのかどうか、ぼくにはわからないのだが、〝私小説風〟と、そのように呼んでもかまわない作品は、いくつかはあるのではないか。

ぼく自身は、〝私小説〟と呼ばれる作品の一方の極にあるような話ばかりを書いている人間であり、死ぬまでそういう書き手であろうと考えている人間である。

しかし、最近になって、一生のうちに一度くらいは、そのような〝私小説風〟の話を書いてもいいのではないか、あるいは、書くべきなのではないか、という気分が、本人の内部からも、外部からも盛りあがってきていたのである。書きたいテーマがあるのである。

しかし、それを、どのようなやり方で書いたらよいのかという、その方法論が思い浮かばずに、長い間迷っていたのだが、本書を読んでいるうちに、なんとなくその方法論が見えてきて、

〝あれ、もしかしたら、書けるんでないの〟

という、そんな感じがふつふつと沸きあがってきて、ついに、その決心がついてしまったのであった。

本書の作者椎名誠も〝あとがき〟の中で書いているが、私的な思い入れのあることがらを小説のかたちにしてゆくのは〝やっぱりこわいもの〟なのではないか。

そのこわさは、書き手によって実にさまざまなディテールがあるのだろう。

そのこわさは、読み手にとっても書き手にとっても、〝おもしろみ〟でもあるのだが、いざ書くとなると、ううむと腕を組んで考えてしまうようなところがあるのである。

しかし、ともかく、ぼくは、その〝こわさ〟にたちむかえるだけの、勇気ともやる気ともつかないのだけれど、ともかくそれだけのものを、この本を読むことによって得てしまったのであった。

今年の四月に、中国に行った。

独り旅である。

ぼくの最近の旅は、誰かと一緒というケースが多い。

仕事がら、ついつい、テレビの仕事であるとか、雑誌の仕事であるとか、そういうものがらみの旅が多くなり、そういう旅は、編集者なり、TV局なりが、色々とめんどうをみてくれることになる。自分で自分の管理をしない旅ばかりになってしまいがちで、時おり、たった独りで海外をうろつくという旅をぼくはするのだが、四月のその中国行きもそういう旅であった。

その時に持って行く本の中に、この『土星を見るひと』を入れておいたのである。

この本を、ぼくは、黄砂が霧のように降る夜の北京（ペキン）のホテルで読んだのであった。

「うねり」は、ぼくの好きなタイプの話だ。月夜の晩にはイルカがよく人間に化けて人を化かすという言い伝えがあり、それが、この話のベースにあるのだが、そんなことを知らなくたって、この話の持つ、何とも名づけがたいあやしい、不思議な雰囲気（ふんいき）を楽しむことができる。

〝よくわからない奇妙なあやしい話〟

というのが小説のスタイルの中にはあって、筒井康隆は、そういう作品を書くのがうまい。そして、本書の著者である椎名誠もその手の話の名人である。

申しわけないことに、タイトルを忘れてしまったのだが、椎名誠の初期の短編の中に、女にふられた男が穴を掘る話がある。

主人公が、〝うふふ、おどろくだろうなあ。おどろくだろうなあ〟とつぶやきながら穴を掘っている。

彼が何のために穴を掘っているのか、すぐには読者はわからない。しかし、彼は非常に楽しげであり、それにつられて先へ読んでゆくと、どうやら彼が穴を掘って進んでゆくその先の地面の上に、ベンチがあって、そのベンチに、彼をふった女性と、その女性の恋人の男が、座ってデートをしているらしいというのがわかってくる。

その真下まで穴を掘っていって、いきなり、地面の中から、ふたりの足をひっぱってやったら、

〃おどろくだろうなあ〃

と、彼は楽しげに穴を掘っているのである。それだけの話ではあるのだけれど、これが実に、奇妙におもしろかったのだ。

記憶で書いているので、内容が間違っていたら申しわけないのだが、この話を読んだ時には、

「わっ」

と、ぼくはぶっとんだ。

それまでぼくが知っていた椎名誠は『本の雑誌』(一号から読んでいるのだ)の椎名誠であり、『さらば国分寺書店のオババ』の椎名誠であった。

その〃穴を掘る男〃のような、こんな話を書くような方であるとは思ってもいなかったから、たいへんにたまげてしまった。

と、ここまで書いてきて、たいへん気になってしまった。椎名誠が小説を書き出したのは、たぶん一九八〇年か一九八一年くらいだろうと記憶していたから、家にあるその頃の雑誌をかたっぱしから捜していって、掲載誌をついに見つけてしまったのであった。

それは、一九八一年の『ショートショートランド』夏号であり、作品の題は「うふ。うふうふ。」であった。

もう一度読みなおしてしまったのだが、やはりおもしろい。読んでみて、〝おどろくだろうなあ〟というのはぼくの記憶違いで、主人公の男のこの独白部分は〝コーフンするなあ〟であった。

しかし、それは細かい部分であり、この話のおもしろさはぼくの記憶どおりだ。

掲載誌を捜すこの作業で、あらためて気がついたのだが、おなじくこの時期に、椎名誠は『SFアドベンチャー』にも、この妙な雰囲気の話をぐいと書き始めているのである。

〝SFファンダム〟と言うべきか、〝SFムラ〟と言うべきかはわからないが、そういう〝社会〟の外部から、このような不思議な才能を持った作家が出てきたことが、ぼくには新鮮であり、驚きであった。

ともかくも、ぼくは、『土星を見るひと』に収められた短編を読んでいるうちに、椎名誠の小説に最初にぶっ飛んだ頃のことを思い出し、自分の小説の方法論まで思いついてしまったのであった。

個人的な知り合いでもあり、椎名誠の個々の作品一編ずつに〝解説〟を加えるのはぼくの任ではないので、解説ではなく、椎名誠の書いた話を読んで受けた個人的な刺激について、とりとめなく書かせていただいた。

最後にちょっとだけ書いておきたいのだが、ぼくも、かつてバイトで学校の宿直をやったことがあり、夜の見回りにはなかなか恐(こわ)いものがあることは実感としてよくわかり、この宿直をやる男の話を書いた「壁の蛇(へび)」は、うんうんとうなずきながら読んでしまったのであった。

（平成四年六月、作家）

この作品は平成元年三月新潮社より刊行された。

土星を見るひと

新潮文庫　し－25－9

平成四年六月二十五日　発行

著者　椎名誠

発行者　佐藤亮一

発行所　株式会社新潮社

郵便番号　一六二
東京都新宿区矢来町七一
電話　営業部(〇三)三二六六－五一一一
　　　編集部(〇三)三二六六－五四四〇
振替　東京四－八〇八番

価格はカバーに表示してあります。

乱丁・落丁本は、ご面倒ですが小社読者係宛ご送付ください。送料小社負担にてお取替えいたします。

印刷・二光印刷株式会社　製本・憲専堂製本株式会社

ISBN4-10-144809-4 C0193